4週間でマスター

2級 建設機械施工管理

新制度版

第一次検定 第1種・第2種

井岡 和雄【編著】

過去頻出30項目の
要点整理＋厳選問題

この1冊で
合格できる!!

第二次検定・筆記問題 出題例・解説解答付き!

弘文社

まえがき

本書を手にとり勉強を始めようとしている皆さんは，現在，建設機械の運転技術者として第一線で活躍していることでしょう。あるいは，建設機械に興味があり，これからその道に進もうと考えているかもしれません。

建設業界には多くの資格がありますが，その中でも古くからある国家資格として「建設機械施工管理技術検定」があります。この検定試験は，主に熟練度の高い運転技術者を対象とした試験で１級と２級の区分がありますが，まずは**２級を目指して**豊富な知識やスキルを習得してください。

また，**「第一次検定」（筆記）**と**「第二次検定」（筆記と実技）**があり，第一次検定合格者には**「建設機械施工管理技士補」**の称号，第二次検定合格者には**「建設機械施工管理技士」**の称号が与えられます。

本書は，**「２級建設機械施工管理技術検定」の第一次検定（筆記）種別：第１種・第２種の合格を目標とした問題集**です。

建設機械の運転技術者の多くは，日常の多忙な業務に時間を費やして，筆記試験である第一次検定に向けた**試験の準備期間を確保できずに受検する可能性が高い**です。しかし，**試験の出題傾向・内容をスピーディに習得し，その対策を講じれば，試験に合格することは十分可能です。**

そこで本書は，**「２級建設機械施工管理技術検定」の第一次検定のみを４週間でマスター（再受検，総まとめであれば１週間でマスター）する**ことを想定し，本試験の問題形式に準じた**全 30 項目，全３章で構成**しています。１項目を１日で習得すれば４週間でマスターでき，１章を２日で目を通せば**１週間で総まとめ学習**が可能です。また，**各項目においては**，合格に向けた最低限必要な要点を整理し，さらに出題される可能性の高い問題を解くことによって**スピーディに学習できる**ように構成しました。**試験直前の超短期決戦用問題集**として活用してください。

なお，仕事などの日々の忙しさ，自分自身の意思の弱さから，勉強を挫折する人が多くいますが，**ひとつ諦めずに最後までやり遂げてください。**強い意志と忍耐力を備えた方が合格に近づきます。本書を十分に活用した皆さんが**２級建設機械施工管理技士（補）に合格**して，建設業界でいっそう活躍することを楽しみにしています。

著者しるす

目　次

第２章　トラクタ系建設機械 第１種（必須問題）

第３章　ショベル系建設機械 第２種（必須問題）

付　録　第二次検定　筆記問題

本書の使い方

本書は２級建設機械施工管理技術検定の第一次検定（種別：第１種・第２種）の出題内容が，把握しやすく，短期間で合格できる構成としています。第一次検定の**共通問題，種別問題（第１種）と種別問題（第２種）**を 30 項目にまとめ，各項目を**要点の整理と理解**と**試験によく出る問題**の２つのステップで構成しています。第１ステップで**要点を整理して理解する**ことで，第２ステップの**出題頻度の高い問題**の正解を導くことができます。

単に読んで，正解を導くことにとどまらず，この２つのステップを**効率よく活用して理解する**かが合格への近道です。本試験は，広範囲な中から出題されますが，各項目から１～２問程度の出題です。また，選択問題と必須問題がありますが，この**選択問題の項目を如何に効率よく勉強する**かが合格するポイントとなります。（下記マークも参考にしてください。）

１．「デルデル先生」の出るマーク

各問題番号の横には，問題の重要度に応じて**デルデル先生マーク** 出る を１個～３個表示しています。あくまで相対的なものですが，以下のことを参考に効率的な勉強を心掛けてください。

- 出る３個：出題頻度がかなり高く，基本的にも必ず取り組むべき問題
- 出る２個：ある程度出題頻度高く，得点力アップの問題
- 出る１個：それほど多くの出題はないが，取り組んでおく方がよい問題

２．「ポイント先生」，「まとめ先生」のマーク

特にポイントとなる箇所には，解説中に**先生マーク**が登場します。得点力アップや暗記をしておくべき項目ですので，それらに注意して勉強を進めてください。

３．「がんばろう君」のマーク

理解しておくとよい箇所や必ず覚えておくべき箇所には，解説中に**がんばろう君マーク** 理解しよう！ 必ず覚えよう！ が登場します。

合格するためには，がんばって理解してください。

本試験攻略のポイント

第一次検定の共通問題，種別問題（第１種，第２種）の内容を把握しましょう。

第一次検定は，４つの選択肢から１つを選ぶマークシート方式による択一試験で，概ね共通問題，種別問題（第１種，第２種）は，以下の分類にしたがって出題されます。

○共通問題

本試験区分		本書区分		出題数	解答数
土木工学	No.１～No.12	第１章 共通問題	１－１土木工学	12	9
建設機械原動機 石油燃料 潤滑剤 施工管理法	No.13～No.22		１－２ 施工管理法・ 建設機械一般	10	10
法規	No.23～No.27		１－３法規(１)	5	3
	No.28～No.32		１－４法規(２)	5	3
			計	32	25

○種別問題（第１種）

本試験区分		本書区分		出題数	解答数
トラクタ系建設機械	No.１～No.10	第２章 トラクタ系 建設機械	２－１ トラクタ系建設機械の基本事項 ２－２ 運転及び取扱い	10	10
トラクタ系建設機械 施工法	No.11～No.20		２－３ 施工方法及び 作業能力	10	10
			計	20	20

○種別問題（第2種）

本試験区分		本書区分		出題数	解答数
ショベル系建設機械	No.1～No.10	第3章 ショベル系建設機械	3－1 ショベル系建設機械の基本事項 3－2 運転及び取扱い	10	10
ショベル系建設機械施工法	No.11～No.20		3－3 施工方法及び作業能力	10	10
			計	20	20

本書は，受検者数の多い第1種と第2種に対応しています。

２級建設機械施工管理技術検定試験は，第１種から第６種までの種別があり，奇数種別と偶数種別の**同日受検が可能**ですので，効果的に受検できるよう，**第1種（トラクタ系）と第2種（ショベル系）の両方に対応**しています。片方のみの受検の場合は種別問題の６項目が不要ですが，類似した内容もあり，すべての項目に取り組んでも差し支えありません。

勉強を継続するためには，得意な項目からしましょう。

本書は，全 30 項目から構成していますが，必ずしも順番にする必要はありません。**得意な項目**や**点数にしやすい項目**から進めてください。**要点の整理と理解**をじっくり読んで理解し，その後，問題を解くと勉強時間が短縮できます。また，項目ごとに３回程度，繰り返すことによって，より理解が深まります。

難しい問題も，易しい問題も１点です。本書を手にとった目的は，試験に合格することで，全項目を理解する必要はありません。まずは**半分程度を目標**にスタートしてください。

合格ラインを把握して，対策することが重要です。

合格ラインは，第一次検定の択一式共通問題と種別問題で解答が**必要な問題数45問**のうち，正答数が**60%（27問）以上**であることとされています。満点で合格する必要もないので，**本試験における目標点**を参考に対策することを推奨します。

第1章 共通問題 の1－1土木工学と1－3法規（1），1－4法規（2）の選択問題が合格のカギ

第１章の**「1－1土木工学」**，**「1－3法規（1）」**，**「1－4法規（2）」**は選択問題で，本書では，１－１が８項目，１－３が４項目，１－４が２項目にまとめています。半分程度の項目を目標に，得意な項目，理解しやすい項目から勉強を進めるとよいです。本試験の**目標点**としては，１－１：12問中**6問**，１－３：５問中**2問**，１－４：５問中**2問**です。

第1章 共通問題 の1－2施工管理法・建設機械一般の必須問題の対策について

１－２は共通問題の主流であり，出題内容は，**「施工管理法」**，**「建設機械原動機」**，**「石油燃料」**，**「潤滑剤」**の４つの分野から出題されます。「建設機械原動機」，「石油燃料」，「潤滑剤」は，種別問題（第１種，第２種）での勉強と関連する内容もあるため，**この3分野を優先的に勉強**し，**目標点**としては10問中**6問**です。

第２章，第３章の種別問題の対策について

第２章，第３章の種別問題は全問解答する必須問題で，**「建設機械」**と**「建設機械施工法」**に大別され，問題数も**各 10 問ずつの割合**です。まずは，どちらか得意な項目，点数にしやすい項目から勉強を進めるとよいです。特に，**「建設機械の作業能力」の計算問題**は，例年，最後に出題されますが，同じような問題ですので**必ず点数にしてください**。**目標点**としては，20 問中 **12 問**です。

「適切なもの」と「適切でないもの」の誤答対策

一般的に，択一式問題は「適切でないもの」を選択する問題が多いですが，「適切なもの」を選択する問題があり，この試験では比較的多く見受けられます。特に**「適切なもの」を選択する場合**に誤答が多く，その対策として記しておきます。

まず，各選択肢(1)から(4)の左横に，**「正しいと思われるもの」**には**「○」**を，**「間違っていると思われるもの」**には**「×」**を付け，「どちらか判断のつかないもの」には印をつけません。

そうすることで，**「適切でないもの」**を選択する問題は**「×」**を解答とし，**「適切なもの」**を選択する問題は**「○」**を解答とすることができます。また，印を付けなかったものは，見直すときに活用します。単純なようですが，誤答を防ぐ対策の１つとして推奨します。

巻末に 第二次検定 筆記問題 出題例・解答解説付 掲載！

最後に**第二次検定 筆記問題**の**出題例**を，**解説解答付き**で入れています。第１章の共通問題の**「１－２施工管理法」**の**9**，**10** の出題範囲と重なるところが多いので，第二次検定に向けての予習，復習も兼ねて**参考**にしてください。

受検案内

1．２級建設機械施工管理技士・技士補と取得後のメリット

近年，建設工事は大規模化とともに高度化，専門化が進み，その中でも建設機械は地球環境への対策や施工現場の安全性の向上など多くのことが求められています。建設業界には国家資格が多々ありますが，その中でも特に施工技術および建設機械について熟知し，**建設機械の能力を最大限に発揮できる技術者の向上**に重点をおいた資格が**建設機械施工管理技士**です。建設業法に基づき建設機械施工技術検定が昭和 35 年から実施され，令和３年度からは**建設機械施工管理技術検定**と名称も変わり，ここ数年，世代交代による技術者不足から**国家資格の資格としては年々必要とされています。**

本試験は，国土交通省より指定を受けた**（一社）日本建設機械施工協会が行う国家資格**です。17 歳以上実務経験なしで受検できる**「第一次検定」**と一定の実務経験を経て受検の**「第二次検定」**から構成されています。**「第一次検定」**は，基礎的知識問題・能力を問うマークシート方式による**択一試験**であり，**「第二次検定」**は実務経験に基づくマークシート方式による**択一試験**と建設機械の**実技試験**です。なお，第一次検定の合格者には「技士補」，第二次検定の合格者には「技士」の称号が付与されます。

建築機械施工管理技士・技士補の資格を取得することは，その人の技術能力が客観的な形で保証されたことになり，社会においても企業においても，有能な技術者として認められます。なお，２級建築機械施工管理技士には，主に次のようなメリットがあります。

- **一般建設業において，「営業所に置く専任の技術者」および「主任技術者」になることができます。**特に，公共工事においては，適正な施工を確保する為，現場に配置しなければならない**主任技術者の専任**が求められています。
- **一般建設業の許可を受ける場合の１つの要件です。**
- **経営事項審査における２級技術者となります。**経営事項審査の技術力項目で，２級技術者として２点の基礎点数が配点されます。

2．受検資格

（1）第一次検定

・試験実施年度において満 17 歳以上となる方（実務経験は不要）

【参考】この試験に合格した方は，第二次検定の受検資格の要件である実務経験年数を満たした後に，第二次検定を受検することができます。

（2）第二次検定

令和６年度より**第二次検定**の受検資格が変更され，第二次検定は学歴に関わらず第一次検定合格後の実務経験が資格要件となります。

なお，令和６年度から令和 10 年度までは，経過措置期間として，新制度による 新受検資格 のほか， 旧受検資格 による受検が可能です。詳細の具体的な認定（受検種別，学歴要件，実務経験要件）について，不明な点など詳しく知りたい場合は，実施機関である（一社）日本建設機械施工協会へお問い合わせ下さい。

新受検資格

●資格要件の区分（Ⅰ）～（Ⅲ）のいずれかを満たす方

区分	資格要件
（Ⅰ）	１級第一次検定合格後，受検種別に関する１年以上の施工の管理の実務経験を有する者
（Ⅱ）	２級第一次検定合格後，受検種別に関する２年以上の施工の管理の実務経験を有する者
（Ⅲ）	２級第一次検定合格者であって、受検種別に関する６年以上の建設機械操作施工（当該施工の補助作業を含む。）の実務経験を有する者（２級第一次検定合格前のものを含む。）

※第一次検定・第二次検定の同一年度の受検申込みは令和６年度より取り止めとなりました。

旧受検資格 （令和 10 年度まで）

●第二次検定の受検資格

・令和３年度からの２級第一次検定合格者　または

・平成 28 年度から令和２年度までの学科試験に合格した第一次検定の免除者（連続する２回の受検まで有効）

であって，区分イ～ニの所定の実務経験年数を満たす方

区分	最終学歴	必要とする実務経験年数（最終学歴卒業後に限る）	
		指定学科	指定学科以外
イ	学校教育法による ・大学卒業者 ・専門学校卒業者 （高度専門士）	卒業後，受検しようとする種別に６箇月以上，かつ他の種別を含む通算の実務経験が１年以上	卒業後，受検しようとする種別に９箇月以上，かつ他の種別を含む通算の実務経験が１年６箇月以上
ロ	学校教育法による ・短期大学卒業者 ・高等専門学校卒業者 ・専門学校卒業者 （専門士）	次のいずれかの実務経験 ①卒業後，受検しようとする種別に１年６箇月以上の実務経験 ②卒業後，受検しようとする種別に１年以上，かつ他の種別を含む通算の実務経験が２年以上	次のいずれかの実務経験 ①卒業後，受検しようとする種別に２年以上の実務経験 ②卒業後，受検しようとする種別に１年６箇月以上，かつ他の種別を含む通算の実務経験が３年以上
ハ	学校教育法による ・高等学校卒業者 ・中等教育学校卒業者 ・専門学校卒業者 （高度専門士・専門士を除く）	次のいずれかの実務験 ①卒業後，受検しようとする種別に２年以上の実務経験 ②卒業後，受検しようとする種別に１年６箇月以上，かつ他の種別を含む通算の実務経験が３年以上	次のいずれかの実務経験 ①卒業後，受検しようとする種別に３年以上の実務経験 ②卒業後，受検しようとする種別に２年３箇月以上，かつ他の種別を含む通算の実務経験が４年６箇月以上
ニ	その他の者 （最終学歴が中学校卒業者）	次のいずれかの実務経験 ①卒業後，受検しようとする種別に６年以上の実務経験 ②卒業後，受検しようとする種別に４年以上，かつ他の種別を含む通算の実務経験が８年以上	

※実務経験年数の基準日については，受検年度第一次検定の前日までで計算してください。

●建設機械の種別一覧

種別	検定科目	内　容
第１種	トラクタ系建設機械	ブルドーザ，トラクタ・ショベル，モータ・スクレーパその他これらに類する建設機械による施工
第２種	ショベル系建設機械	パワー・ショベル，バックホウ，ドラグライン，クラムシェルその他これらに類する建設機械による施工
第３種	モータ・グレーダ	モータ・グレーダによる施工
第４種	締め固め建設機械	ロード・ローラ，タイヤ・ローラ，振動ローラその他これらに類する建設機械による施工
第５種	舗装用建設機械	アスファルト・プラント，アスファルト・デストリビュータ，アスファルト・フィニッシャ，コンクリート・スプレッダ，コンクリート・フィニッシャ，コンクリート表面仕上げ機等による施工
第６種	基礎工事用建設機械	くい打機，くい抜機，大口径掘削機その他これらに類する建設機械による施工

●試験の種類と概要

<table>
<tr><th colspan="4">試験の概要</th></tr>
<tr><th colspan="2">第一次検定</th><th colspan="2">第二次検定</th></tr>
<tr><th>共通問題</th><th>種別問題</th><th>筆記試験</th><th>実技試験</th></tr>
<tr><td>四肢択一式</td><td>四肢択一式</td><td>四肢択一式</td><td>選択した種別の実機による操作施工</td></tr>
<tr><td>全員が受検</td><td>選択した種別を受検</td><td colspan="2">第一次検定合格の翌年度以降に，必要な実務経験年数を満たすことで受検</td></tr>
</table>

3．申込に必要な書類

① ２級建設機械施工管理（第一次検定）受検申請書
② コンピュータ入力データ票
③ 郵便振替払込受付証明書貼付用紙（写真票と１枚綴り）
④ 写真票
⑤ 住民票（詳細は試験機関の受検の手引きにて確認してください）

> **※受検案内の内容は変更することがありますので，必ず早めに各自でご確認ください。**

4．試験方法と時間割

２級建設機械施工管理技術検定は，第１種～第６種までの建設機械の種類ごとに区分して行われ，第一次検定は，１回の試験で，奇数種別（**１種**，３種，５種）から１つ，偶数種別（**２種**，４種，６種）から１つの種別の**２つの種別を受検することが可能です**。

当日の試験は，共通問題と種別問題に区分され，第一次検定試験は下表の時間割で行われます。

●時間割

検定区分	入室時刻	ガイダンス等	試験開始～終了時刻
第一次検定 【共通】	9：15	9：15～9：30	9：30～10：50（80分）
（休憩）	（10：50～11：35）		
第一次検定 【偶数種別】	11：35	11：35～11：50	11：50～12：50（60分）
（昼休み）	（12：50～13：50）		
第一次検定 【奇数種別】	13：50	13：50～14：05	14：05～15：05（60分）

※１：第一次検定【共通】は，第一次検定の受検者全員が受検する必要があります。

※２：第一次検定【偶数種別】は，第２種，４種，６種の受検を選択した方が受検する試験です。
※３：第一次検定【奇数種別】は，第１種，３種，５種の受検を選択した方が受検する試験です。

なお，第一次・第二次同一年度受検がなくなりましたので，第二次検定の筆記試験は，同日の下記の時間帯に行われています。

参考

検定区分	入室時刻	ガイダンス等	試験開始～終了時刻
第二次検定 （筆記）	９：15	９：15～９：30	９：30～10：10（40分）

５．試験日程及び試験地等

試験は年１回全国各都市において実施されます。試験日時等の詳細については，試験実施機関までお問い合わせ下さい。

[試験実施機関]

一般社団法人日本建設機械施工協会　試験部（https://jcmanet-shiken.jp/）
〒 105 － 0011
東京都港区芝公園３－５－８
TEL：03-3433-1575　FAX：03-3433-0401

[受付期間]

２月中旬から３月下旬頃

※年により変更する場合もありますので，受付期間については，必ず早めに各自でご確認ください。

[試験日]　第一次検定・第二次検定（筆記）：６月中旬日曜日
第二次検定（実技）：８月下旬から９月中旬までのあらかじめ指定する日（申し込み期間は，筆記と同じ）

[試験地]

○第一次検定・第二次検定（筆記）

北広島市（北海道），滝沢市，東京都，新潟市，名古屋市，大阪市，広島市，高松市，福岡市，那覇市

○第二次検定（実技）

石狩市，仙台市，下都賀郡，秩父市，小松市，富士市，刈谷市，明石市，小野市，広島市，善通寺市，糟屋郡，国頭郡

※受検案内の内容は変更することがありますので，必ず早めに各自でご確認ください。

なお，受検申込書の取扱先は，申込受付開始の約２週間前から，「一般社団法人日本建設機械施工協会　試験部」のほか，下記の取扱先で販売しています。

名　称	住　所	電話番号
一般社団法人 日本建設機械施工協会 試験部	〒105-0011 東京都港区芝公園３－５－８	03－3433－1575
※同　施工技術総合研究所	〒417-0801 静岡県富士市大淵3154	0545－35－0212
同　北海道支部	〒060－0003 札幌市中央区北３条西２－８ さつけんビル５F	011－231－4428
同　東北支部	〒980－0014 仙台市青葉区本町３－４－18 太陽生命仙台本町ビル５F	022－222－3915
同　北陸支部	〒950－0965 新潟市中央区新光町６－１ 興和ビル９F	025－280－0128

名　称	住　所	電話番号
同　中部支部	〒460－0003 名古屋市中区錦３－７－９ 太陽生命名古屋第２ビル７F	052－962－2394
同　関西支部	〒540－0012 大阪市中央区谷町２－７－４ 谷町スリースリーズビル８F	06－6941－8845
同　中国支部	〒730－0013 広島市中区八丁堀12－22 築地ビル４F	082－221－6841
同　四国支部	〒760－0066 高松市福岡町３－11－22 建設クリエイトビル４F	087－821－8074
同　九州支部	〒812－0013 福岡市博多区博多駅東２－４－30 いわきビル２F	092－436－3322
一般社団法人 沖縄しまたて協会	〒901－2122 浦添市字勢理客４－18－１ トヨタマイカーセンター４F	098－879－2097
※同　北部支所	〒905－1152 名護市字伊差川24－１	0980－53－1555

※を除き，郵送販売もしています。

名称，住所等は，変更する場合がありますので，本部のホームページ等で確認してください。

6．合格発表と合格基準点

合格発表は，発表日に試験機関である（一社）日本建設機械施工協会から本人あてに合否の通知が発送されます。

また，**（一社）日本建設機械施工協会本部，支部で合格者の受検番号を掲示，ホームページで，合格者の受検番号が公表されます。また試験日の翌日から，試験問題等の公表も行われます。**

［合格発表日］ 第一次検定：８月上旬
第二次検定：11月中旬

［合格基準点］

第一次検定及び第二次検定の別に応じて，次の基準以上が合格となりますが，試験の実施状況等を踏まえ，変更する可能性はあります。

・第一次検定：得点が満点の60％以上
・第二次検定：（筆記）得点が満点の60％以上
（実技）得点が満点の70％以上

なお，合格率は，第一次検定が40％前後，第二次検定が80％前後です。

※受検案内の内容は変更することがありますので，必ず早めに各自でご確認ください。

第1章

共通問題

全種別共通の問題

1－1　土木工学［選択問題］

1－2　施工管理法・建設機械一般［必須問題］

1－3　法規（1）［選択問題］

1－4　法規（2）［選択問題］

1 各種試験・土と岩

要点の整理と理解

1. 土の各種試験方法

土の各種試験方法とその概要

試験方法	概　要
土の単位体積質量試験（現場密度試験）	盛土の品質管理の目的で，土の締固め度，飽和度，間隙率（かんげきりつ），湿潤密度，乾燥密度などを求める試験。
ポータブルコーン貫入（かんにゅう）試験（静的円すい貫入試験）	コーン指数を求めることで，土のトラフィカビリティ（建設機械の走行に耐えるかを示す地盤の度合）を判定。コーン指数が大きいほど走行しやすい地盤。
標準貫入試験	原位置（げんいち）における土の硬軟（こうなん），締（しま）り具合の程度を判定するためにN値を求める試験。
平板載荷（へいばんさいか）試験	道路などの路床（ろしょう）や路盤（ろばん）の地盤反力（はんりょく）係数を求めるための試験。
CBR 試験	路床土や路盤材料（主に粒状）の支持力指数を決定するための試験。
突固（つきかた）めによる土の締固（しめかた）め試験	一定の方法により土をモールド中で締固めたときの含水比（がんすいひ）と乾燥密度の関係を求め，さらに，最適含水比や最大乾燥密度を知るための試験。

土の各種試験と，その試験結果から求められる測定値などを理解してください。

2. 土の構成と用語

土は，土粒子（どりゅうし），水，空気の３要素から成っており，その構成を模式的に表すと次のようになります。

理解しよう！

土の構成

質量	土の全質量（m）		
		水の質量（m_w）	土粒子の質量（m_s）
土の構成	空気	水	土粒子
体積	空気の体積（V_a）	水の体積（V_w）	
	間隙の体積（V_v）		土粒子の体積（V_s）
	土の全体積（V）		

土の構成に関する用語と算定式

用　語	説　明	算定式
土の湿潤密度	自然状態の土の密度（土の見かけの密度）で，通常，1.6～1.9 g/cm³。	$\frac{m}{V}$
土の乾燥密度	自然の土を乾燥して，間隙水の水をすべて追い出した状態（土粒子のみ）の密度。	$\frac{m_s}{V}$
土粒子の比重	土粒子が空気中で示す質量（m_s）と，同体積の蒸留水が示す質量（$V_s \times \rho_w$）との比で，2.5～2.8の範囲にある。	$\frac{m_s}{V_s \times \rho_w}$ ρ_w：水の密度
間隙比	土の間隙の体積（V_v）を，土粒子全体の体積（V_s）の比で表したもの。	$\frac{V_v}{V_s}$
空気間隙率	土の中の空気の体積（V_a）を，土全体の体積（V）の比で表したもの。	$\frac{V_a}{V} \times 100$（%）
飽和度	土の間隙（V_v）が，どの程度の水（V_w）で満たされているかを表したもの。	$\frac{V_w}{V_v} \times 100$（%）
含水比	土の間隙中に含まれている水の質量（m_w）の，土粒子の質量（m_s）に対する比。	$\frac{m_w}{m_s} \times 100$（%）

3．土の分類と土の性質

土の粒径（りゅうけい）は土の種類によって異なり，土を粒径別に分類する場合，粒径の小さい順に，コロイド，粘土，シルト，砂，レキの順になります。

粒径　1μm 5μm　74μm　420μm　2.0mm　5.0mm　20mm　75mm

コロイド	シルト	砂		レキ		
粘土		細砂	粗砂	細レキ	中レキ	粗レキ

［粒径による土の分類］

土の主な性質と概要

性　質	概　要
土の強度	・土粒子相互間の滑動（かつどう）に抵抗する力の強さが土の強度であり，土の強度は，土粒子間の粘着力と摩擦力とによって生じる。 粘土：土粒子間の粘着力によって生じ，摩擦力は0に近い。 砂：摩擦力によって支配され，粘着力は0に近い。
土のこね返し（鋭敏比（えいびんひ））	・粘土は長い年月が経過すると強度が増大するが，機械や人力でこね返すと土の強度が減少する。 鋭敏比：こね返し前と後の土の強度の比。
土の透水（とうすい）	・土の透水とは，土中の水が間隙を通って土の中を自由に移動する現象をいう。 ・粘土は透水性が小さく，砂は透水性が大きい。
土の圧密（あつみつ）	・土の圧密とは，土の表面に力が加わった場合，土の間隙水が押し出され，その分だけ土粒子が押しつぶされて土が収縮する現象をいう。 ・透水性の小さい粘土は，間隙水の移動が遅いため，圧密現象は長時間かけて進行する。
土の締固め	・土に外部から力が加わると土粒子間の間隙が小さくなり，体積が減少することで密度が増大する。これを土の締固めという。 ・ある含水比のときに最もよく締固まり，その時の含水比を「最適含水比」，その時の乾燥密度を「最大乾燥密度」という。 ・砂と粘土を比べた場合，砂の方が最適含水比は小さく，最大乾燥密度は大きい。

4．岩の分類

岩の分類

名　称	説　明	摘　要
岩塊，玉石	岩塊，玉石が混入して掘削しにくく，バケット等に空隙のでき易いもの。 岩塊，玉石は，粒径 7.5 cm 以上とし，まるみのあるのを玉石とする。	玉石まじり土，岩塊，起砕された岩，ごろごろした河床
転石群	大小の転石が密集しており，掘削が極めて困難なもの。	
軟岩	固結程度のよい第四紀層，風化の進んだ第三紀層以前のもの，リッパ掘削ができるもの。	地山弾性波速度 700〜2,800 m/s
中硬岩	風化の程度があまり進んでいないもの。（き裂間隔 30〜50 cm 程度のもの。）	地山弾性波速度 2,000〜4,000 m/s
硬岩	き裂が全くないか少ないもの，密着のよいもの。	地山弾性波速度 3,000 m/s 以上

試験によく出る問題

問題 1

建設工事に用いられる原位置試験の「試験の名称」と「試験結果から求められるもの」に関する組合せとして次のうち，**適切でないもの**はどれか。

（試験の名称）　　　　　　　（試験結果から求められるもの）

(1)　現場における土の単位体積重量試験――土の乾燥密度
(2)　道路の平板載荷試験――地盤反力係数
(3)　現場透水試験――土の間隙に含まれる水の量
(4)　ポータブルコーン貫入試験――コーン指数

解説

(1)　土の**単位体積重(質)量試験**（**砂置換法**による土の密度試験）は，試験する地盤に穴をあけ，その穴に取り除いた土の体積に等しい乾燥砂を埋め，その砂の質量を測定することで**湿潤密度**を求めます。また，含水比を測定することで**乾燥密度**も求めることができます。

(2) **平板載荷試験**は，道路などの路床や路盤の予定位置に載荷板を置き，その上に油圧ジャッキにより荷重をかけて，沈下量と荷重の関係から**地盤反力係数**（地盤の変形や強さ）を求めます。

$$地盤反力係数[kN/m^3] = \frac{載荷圧力[kN/m^2]}{沈下量[m]}$$

(3) **現場透水試験**は，土の**透水係数を求める試験**です。土の間隙に含まれる水の量は，土の**含水比試験**から求めます。

(4) **ポータブルコーン貫入試験**は，土の**コーン指数**（単位面積当たりの貫入抵抗）から建設機械の走行可能な度合を判定するための試験です。

一般的にコーンペネトロメータが使用されます。

解答 (3)

問題2 出る 出る

各種試験と測定値に関する組合せとして次のうち，**適切でないもの**はどれか。

	（各種試験）	（測定値）
(1)	CBR 試験	路床土の支持力指数
(2)	ポータブルコーン貫入試験	土のコーン指数
(3)	標準貫入試験	土の飽和度
(4)	突固めによる土の締固め試験	土の含水比と乾燥密度の関係

解説

(1) **CBR 試験**から路床土や路盤材料の**支持力指数**を決定します。

(2) 問題1 の 解説 (4)を参照してください。

(3) **標準貫入試験**は，原位置における土の硬軟，締り具合の程度を判定するために **N 値**を求めます。土の飽和度は，土の**単位体積質(重)量試験**から求めます。

(4) 突固めによる**土の締固め試験**では，一定の方法により土をモールド中で締固めたときの**含水比と乾燥密度の関係（締固め曲線）**を求めます。

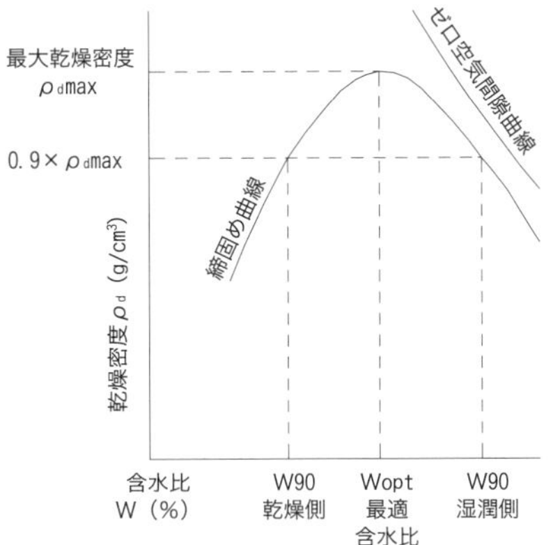

解答 (3)

[締固め曲線]

問題3 出る 出る

土の性質及び締固めに関する次の記述のうち，**適切でないもの**はどれか。

(1) 締め固められた土は，強度が増大し，透水性が低下する。

(2) 締固め試験において，乾燥密度が最大となる点に対応する含水比を最適含水比という。

(3) 砂のような土は，粘着力によって支配され，摩擦力は0に近い。

(4) 含水比の高い粘性土などでは過転圧により，こね返し現象が起こり強度低下することがある。

解 説

(1) **締め固められた土**は，土粒子間の嚙(か)み合わせが緊密になり，**土の強度が増大**します。また，間隙が狭くなることで**透水性が低下**します。

(2) **問題2** の 解 説 (4)の図[締固め曲線]を参照してください。

(3) **砂**のような土は，**摩擦力**によって支配され，**粘着力**は0に近いです。

砂：摩擦力で支配，粘着力0
粘土：摩擦力0，粘着力で支配
は，覚えましょう。

(4) 土のこね返しによる強度低下は，**粘性土**でよく見られる現象です。

解答 (3)

問題4 出る 出る

土の含水比に関する次の記述のうち，**適切なもの**はどれか。

⑴　締固め試験において，乾燥密度が最小となる点に対応する含水比を最適含水比という。

⑵　含水比は，土の強度，土の締固め効果に大きな影響を与えない。

⑶　含水比は，「土粒子の質量」の「間隙水の質量」に対する比を示す。

⑷　一般に砂質土の自然含水比は，粘性土の自然含水比より低い。

解説

⑴　問題3 ⑵を参照してください。乾燥密度が最大となる点が最適含水比。

⑵　土の含水比は，土の強度，土の締固め効果，建設機械の施工能率などに極めて大きな**影響を与えます**。

⑶　含水比は，「**間隙水**の質量」の「**土粒子**の質量」に対する比を示します。

⑷　自然含水比が 20～30 %以下のものが砂質土，40～50 %以上のものが粘土で，**砂質土**の自然含水比は，**粘性土**の自然含水比より**低い**です。

砂は粘土より，自然含水比が低いので，水を透しやすい。

解答　⑷

問題5 出る

下図に示す，土の粒径加積曲線(りゅうけいかせききょくせん)に関する記述として次のうち，**適切なもの**はどれか。

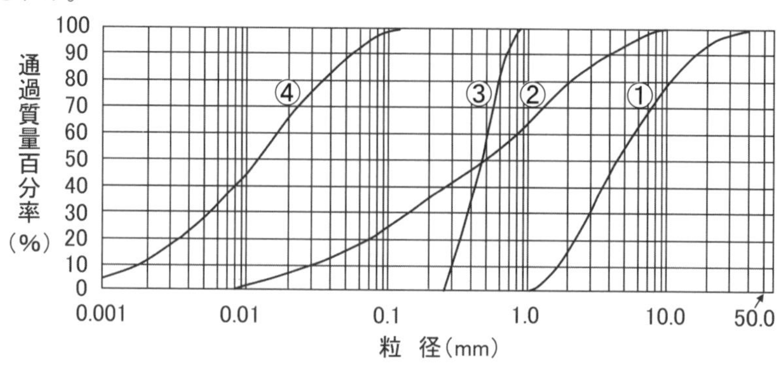

(1) 曲線②④は，傾きが緩やかであり，土粒子の粒径は狭い範囲に集まっている。
(2) 曲線③は，傾きが急であり，粒径がばらついた土である。
(3) 曲線②は，一般に粒度分布が良い土，曲線③は粒度分布が悪い土といわれる。
(4) 曲線①は，最も右にあり，小さな粒径の土粒子を含む土である。

解 説

(1) 傾きが**緩やかな**曲線②④は，**広い範囲**の粒径の土を含みます。
(2) 傾きが**急な**曲線③は，粒径が狭い範囲に集まっており，粒の**そろった土**で，一般に**粒度分布の悪い土**です。
(3) 傾きが**緩やかな土**は粒度分布の**良い土**，**急な土**は粒度分布の**悪い土**といいます。
(4) 曲線①は，最も右にあり，**大きな粒径**の土粒子を含みます。

解答 (3)

問題 6 出る 出る 出る

岩掘削の難易度を対象とした岩の分類で，中硬岩の状態に関する次の記述のうち，**適切なもの**はどれか。
(1) 岩塊，玉石が混入して掘削しにくく，バケット等に空隙のできやすいもの。
(2) き裂が全くないか少ないもの，密着のよいもの。
(3) 風化のあまり進んでいないもの（き裂間隔 30～50 cm 程度のもの）
(4) 固結の程度のよい第四紀層，風化の進んだ第三紀層以前のもの，リッパ掘削のできるもの。

解 説

4．岩の分類（P25）を参照してください。
(1) 岩塊，玉石，(2) 硬岩，(3) 中硬岩，(4) 軟岩で，**中硬岩**の状態に関する記述は，(3)です。

解答 (3)

2 コンクリート工

要点の整理と理解

1. コンクリートの施工

施工内容	概　要
運　搬	・材料の分離，スランプの低下，空気量の減少を最小にするように運搬しなければならない。
打込み	・打込み前に硬化したコンクリートは，使用してはならない。 ・打込み中に材料の分離が生じた場合には，必ず加水せずに練り直してから打込む。 ・高い場所から打ち込む場合は，縦シュートを使用する。 ・コンクリートの打込み 1 層の高さは，40～50 cm を標準とする。（棒状バイブレータ使用時）
締固め	・締固めは，棒状バイブレータの先端が下層のコンクリートに 10 cm 程度入り込むように挿入して行う。 ・棒状バイブレータでコンクリートを横移動させてはならない。 ・棒状バイブレータの一般的な振動の有効間隔は，50 cm 程度である。
打継ぎ	・水平打継目の施工では，旧コンクリート表面のレイタンスなどを完全に除去し，十分に吸水させる。
養　生	・打込み後一定期間は，できるだけ日光や風に当てないようにする。 ・養生期間：普通セメント 5 日以上，早強セメント 3 日以上。

試験によく出る問題

コンクリートの打込みおよび打継ぎの施工に関する次の記述のうち，**適切でないもの**はどれか。

(1)　打ち込んだコンクリートは，型枠内で横移動させてはならない。

⑵　計画した打継ぎ目以外では，コンクリートの打設が完了するまで連続して打ち込まなければならない。

⑶　打ち継ぐ場合には，下層のコンクリートの表面を平たんに仕上げ，十分に吸水させてから，上層のコンクリートを打ち込まなければならない。

⑷　コンクリートは，打ち上がり面がほぼ水平になるように打ち込むことを原則とする。

解 説

⑴　分離や豆板ができやすい**型枠内での移動**は避けます。

⑵　**打継ぎ目（コールドジョイント）**はコンクリートの弱点となりやすいため，打継ぎ目以外では**連続して**打ち込むことが重要です。

⑶　**打継ぎ面**は，ワイヤブラシで表面を削るか，チッピング等により表面を**粗面**に仕上げ，十分に**吸水**させます。

⑷　コンクリートの**打ち上がり面**は，ほぼ**水平**になるように打込むことを原則とします。

解答　⑶

問題 8　出る 出る 出る

コンクリートの打込み及び締固めに関する次の記述のうち，**適切でないもの**はどれか。

⑴　コンクリートの打込み 1 層の高さは，80〜100 cm を標準とする。

⑵　打ち込んだコンクリートの粗骨材が分離してモルタル分が少ない部分では，分離した粗骨材をすくい上げてモルタル分の多い箇所へ埋め込んで締め固めることが望ましい。

⑶　コンクリートを打ち重ねる場合は，上下の層が一体となるように，棒状バイブレータを下層のコンクリートの中に 10 cm 程度挿入しなければならない。

⑷　棒状バイブレータの挿入は，なるべく鉛直に一様な間隔とし，その間隔は一般に 50 cm 以下にするとよい。

解説

⑴ コンクリート打込みの**1層の高さ**は，使用する内部振動機の性能などを考慮して 40〜50 cm を標準とします。

⑵ 打ち込んだコンクリートの**粗骨材が分離**してモルタル分の少ない部分が認められた場合，分離した粗骨材を**モルタルの多いコンクリート中**に埋め込んで締め固めます。

⑶ コンクリートを打ち重ねる場合の締固めでは，**棒状バイブレータ（コンクリート棒形振動機）**を打込み各層ごとに用い，**その下層に先端が 10 cm 程度入る**ようにほぼ**鉛直（えんちょく）に**挿入します。

⑷ 棒状バイブレータの振動が有効な間隔は，一般に **50 cm 程度**です。

コンクリート棒形振動機の留意事項	
① 振動機の先端	・打込み各層ごとに用い，その下層に振動機の先端が入るようにほぼ鉛直に挿入する。 ・鉄骨，鉄筋，型枠等になるべく接触させない。
② 挿入間隔	・50 cm 程度とする。
③ 加振（かしん）時間	・加振は，コンクリートの上面にセメントペーストが浮くまでとする。 ・１箇所５〜15 秒の範囲とする。
④ 引抜き	・コンクリートに穴を残さないように加振しながら徐々に引き抜く。

解答 ⑴

問題９ 出る 出る 出る

コンクリートの運搬，締固め，打込み，養生に関する次の記述のうち，**適切なもの**はどれか。

⑴ 材料の分離，スランプの低下，空気量の減少を最大にするように運搬しなければならない。

⑵ 締固めは，振動機の先端が下層のコンクリートに接するように挿入して行う。

(3) 旧コンクリートの表面のレイタンスは，付着力を低下させるので取り除いたうえで打ち継ぐ。
(4) 硬化を促進するため，打込み後一定期間は，できるだけ日光や風に当てるようにする。

解 説

(1) 材料の分離，コンクリートの損失，スランプの低下，AEコンクリートの場合は空気量の減少が**最小**となるように運搬します。
(2) **問題8** の 解 説 (3)を参照してください。
先端が下層のコンクリートに **10 cm 程度入り込む**ようにする。
(3) **レイタンス**とは，コンクリートの打込み後，ブリーディングに伴って，内部の微細な粒子が浮上し，コンクリート表面に形成する**ぜい弱な物質の層**を示します。レイタンスはコンクリートの打継ぎの障害となるため，**除去**します。
(4) コンクリートは，打込み終了直後から健全な硬化を図るため，急激な乾燥を避けるとともに，打込み後一定期間は，できるだけ**日光や風に当てない**ようにします。

解答 (3)

問題10 出る 出る

コンクリートの施工に関する次の記述のうち，**適切なもの**はどれか。
(1) 水平打継目の施工では，旧コンクリート表面のレイタンスなどを完全に除去し，十分に乾燥させる。
(2) 高い場所からコンクリートを打ち込む場合には，縦シュートを使用する。
(3) 打込み中に材料分離を生じた場合には，必ず加水して練りなおす。
(4) 狭い箇所にコンクリートを打ち込む場合には，棒状バイブレータでコンクリートを横移動させる。

解 説

(1) **1．コンクリートの施工**（P30）を参照してください。十分に吸水させる。

(2)　シュートやホース等からコンクリートを落し込む高さは，コンクリートが分離しない範囲とし，高い場所（4.5～5 m 以上）等の打込みは，**縦形シュート**を用います。

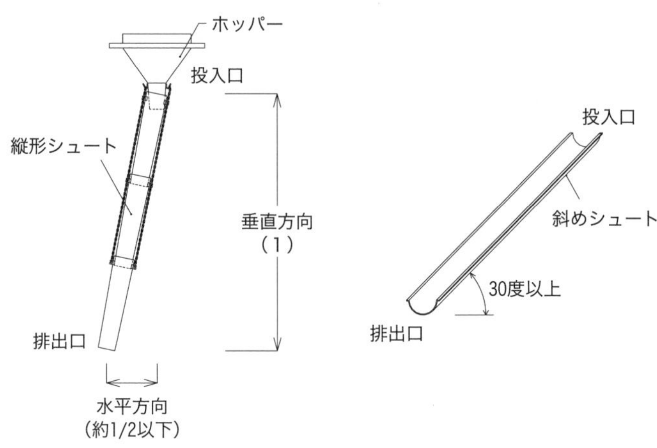

[縦形シュートと斜めシュート]

(3)　打込み中に材料の分離が生じた場合には，必ず**加水せずに練り直して**から打込みます。

(4)　棒状バイブレータを，コンクリートを**横移動させる目的で使用**してはならないです。

解答　(2)

問題11　出る

フレッシュコンクリートの性質を表す用語とその説明の組合せとして次のうち，**適切でないもの**はどれか。

（用語）　　　　　　　　　　　　（用語の説明）

(1)　ワーカビリティー ―――― コンクリートのレイタンスの発生のしやすさ

(2)　フィニッシャビリティー ―――― コンクリートの仕上げのしやすさ

(3)　ポンパビリティー ―――― コンクリートの圧送のしやすさ

(4)　コンシステンシー ―――― コンクリートの変形または流動に対する抵抗性

解説

(1) **ワーカビリティー**は，材料が分離することなく，運搬，打込み，締固めなどのコンクリート**作業が容易にできる程度**を表します。

(2) **フィニッシャビリティー**は，コンクリートの打上がり面を，要求された**平滑**（へいかつ）**さに仕上げようとする場合の作業の難易**（なんい）**性**を表します。

(3) **ポンパビリティー**は，フレッシュコンクリートを圧送するときの**圧送**（あっそう）**の難易性**を表します。

(4) **コンシステンシー**は，フレッシュコンクリートの**変形又は流動に対する抵抗性**を表します。

解答　(1)

フレッシュコンクリートの主な性質

用　語	概　要
コンシステンシー	フレッシュコンクリートの変形又は流動に対する抵抗性。
ワーカビリティー	材料分離を生じることなく，運搬，打込み，締固め，仕上げなどの作業が容易にできる程度。
ポンパビリティー（圧送性）	フレッシュコンクリートを圧送するときの圧送の難易性。
プラスティシティー	容易に型枠に詰めることができ，型枠を取り去るとゆっくり形を変えるが，崩れたり，材料が分離したりすることのないようなフレッシュコンクリートの性質。
フィニッシャビリティー	コンクリートの打上がり面を，要求された平滑さに仕上げようとする場合の作業の難易性。
ブリーディング	フレッシュコンクリートにおいて，固体材料の沈降又は分離によって，練混ぜ水の一部が遊離して上昇する現象。
レイタンス	コンクリートの打込み後，ブリーディングに伴い，内部の微細な粒子が浮上し，コンクリート表面に形成するぜい弱な物質の層。

3 土工・道路と河川の土構造物

要点の整理と理解

1. 土量の変化率

土を掘削し，運搬して盛土をする場合，土の体積は，**地山**，**ほぐし**，**締固め**で土の状態が変化します。この土量の変化をあらかじめ推定して**土量の配分**を行い，土工計画を立てます。

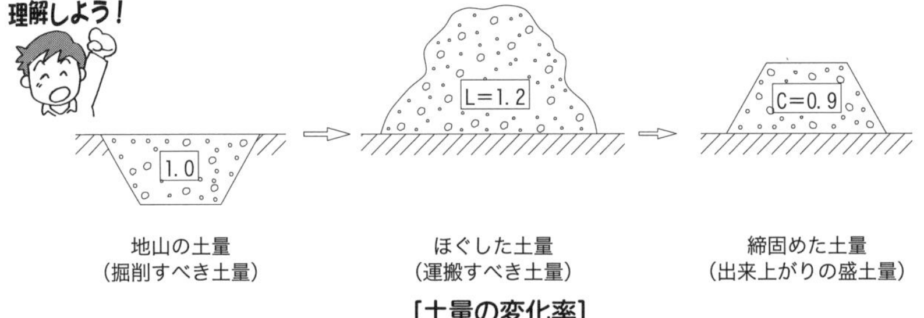

［土量の変化率］

これらの状態における土量は，**地山の土量**を基準とした**変化率**から求められます。

土量の変化率

項　目	算定式	概　要
変化率L	$\dfrac{\text{ほぐした土量}\ (m^3)}{\text{地山の土量}\ (m^3)}$	・土の運搬計画を立てるときに用いる。 ・運搬機械の積載量 　土の密度が大きい：積載質量で決定 　土の密度が小さい：積載容積で決定
変化率C	$\dfrac{\text{締固めた土量}\ (m^3)}{\text{地山の土量}\ (m^3)}$	・土の配分計画を立てるときに用いる。 ・切土（きりど）を盛土に流用する場合，土取り場から土を採取して盛土を築造する場合，地山の土量を盛土量に換算する場合に用いる。

盛土：原地盤に土を盛り上げること
切土：原地盤や地山を掘削すること
併用土：切土で発生した土を盛土に使うこと

2．盛土材料

盛土材料

好ましい材料	好ましくない材料
・敷均し，締固めの施工が容易。 ・締固め後のせん断強度が大きい。 ・締固め後の圧縮性が小さい。 ・雨水などの浸食に対して強い。 ・吸水による膨潤性が低い。	・一般に吸水性が大きく，圧縮性の大きな土。（ベントナイト，蛇紋岩(じゃもんがん)風化土，温泉余土(よど)，酸性白土，有機質土） ・凍土(とうど)や氷雪を含んだ土，草木や切株などの多量の腐食物を含んだ土。

3．土工の法面(のりめん)

盛土や切土などの人工的に形成した斜面を**法面**といい，その傾斜の度合いを**法面勾配**といいます。**鉛直高さを1とした水平距離の比**で表示し，例えば1：1.5などで，水平距離の部分1.5の**値が大きいほど緩(ゆる)い**斜面になります。

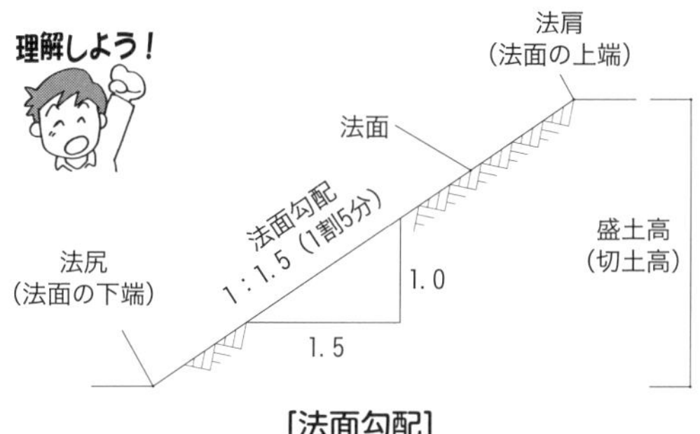

[法面勾配]

4．道路の土構造物

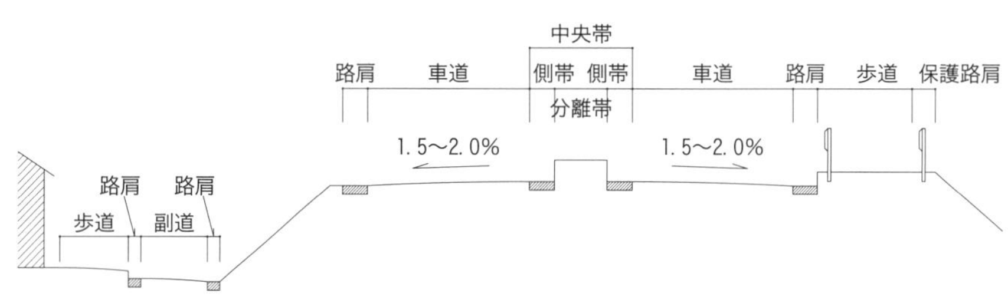

[道路の構造]

用　語	概　要
路　肩	車道を保護し，車道が自動車の走行に十分耐用できるように設けられている。
横断勾配	中央から路肩に向かって1.5～2.0％程度。
曲線区間	自動車の安全な走行のために片勾配とされる。

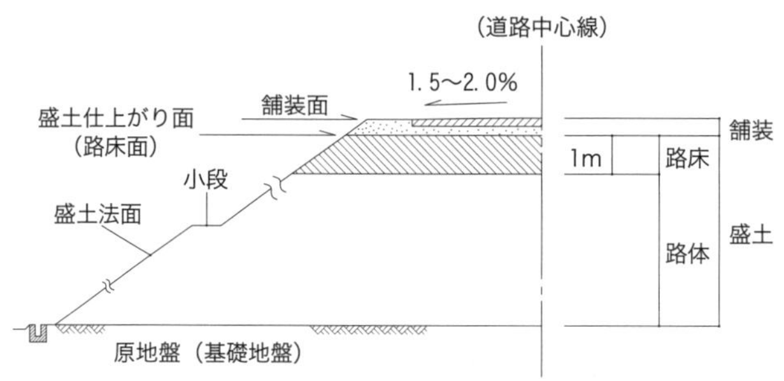

［盛土各部の名称］

名　称	概　要
舗　装	アスファルト舗装：表層，基層，路盤で構成。 コンクリート舗装：コンクリート版，路盤で構成。
路　床	舗装の下の土地の部分で，ほぼ均一な厚さ1mの層。
路　体	盛土における路床以外の土の部分。

5．河川の土構造物

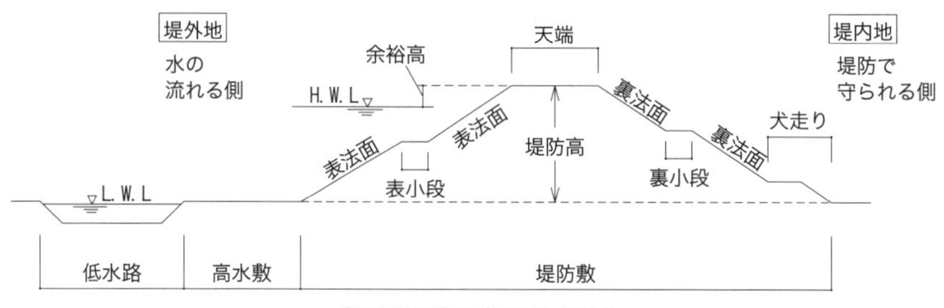

［河川堤防の各部の名称］

河川堤防の各部の名称は，堤防敷を中心にして水の流れる側を**堤外地**，反対側の堤防で守られる側を**堤内地**といいます。
堤外地において，平常時に河川の水が流れる部分を**低水路**，洪水などで水位が上昇した場合に水が流れる部分を**高水敷**といいます。また，河川堤防は水の流れる**下流に向かって**，右手側が右岸（右岸堤），左手側が左岸（左岸堤）です。

試験によく出る問題

問題12 出る 出る 出る

土量の配分に関する次の記述のうち，**適切でないもの**はどれか。

(1) 土量の配分は，運搬土量に運搬距離を乗じたものが大きくなるように計画する。

(2) 土量変化率のLは，ほぐした土量（m^3）を地山の土量（m^3）で除して求める。

(3) 土量変化率のCは，締固めた土量（m^3）を地山の土量（m^3）で除して求める。

(4) 土量変化率のLは，土の運搬計画などの検討に用いる。

解説

(1) **土量の配分**は，「運搬土量×運搬距離」ができるだけ**小さくなる**ように計画します。

(2) 土量変化率L＝$\dfrac{\text{ほぐした土量}}{\text{地山の土量}}$（＞1.0）で表されます。

(3) 土量変化率C＝$\dfrac{\text{締固めた土量}}{\text{地山の土量}}$（＜1.0）で表されます。

(4) **土量変化率Lは，切土**工事において，**残土置き場の容量**の検討や，土の**運搬計画**などの検討に用いられます。また，**土量変化率C**は，**盛土**工事において必要となる**地山の土量**の検討に用いられます。

解答 (1)

問題13 出る 出る

以下の条件で，図に示す横断の地山から延長 100 m を切土し，別の場所で盛土・締固めを行う場合の盛土量として，**適切なもの**はどれか。

（条件）切土勾配　：1：1.0

$$土量変化率：L = \frac{ほぐした土量}{地山の土量} = 1.2$$

$$C = \frac{締固めた土量}{地山の土量} = 0.8$$

(1)　5,000 m^3
(2)　6,000 m^3
(3)　7,500 m^3
(4)　9,000 m^3

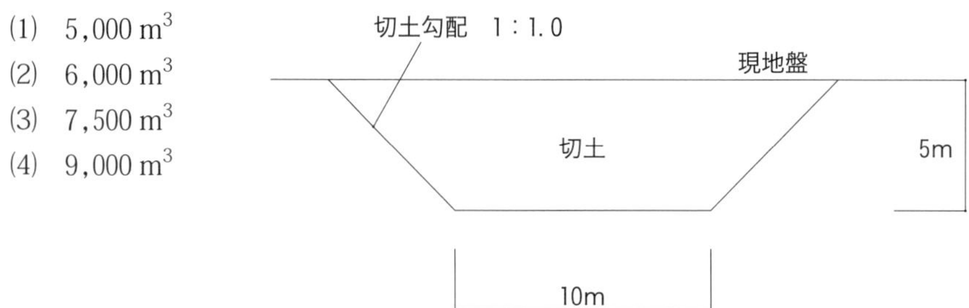

解　説

・図の断面積から地山の土量（掘削土量）を計算します。

地山の土量 ＝ $(12.5\ m^2 + 50\ m^2 + 12.5\ m^2) \times 100\ m$ ＝ **7,500 m^3**

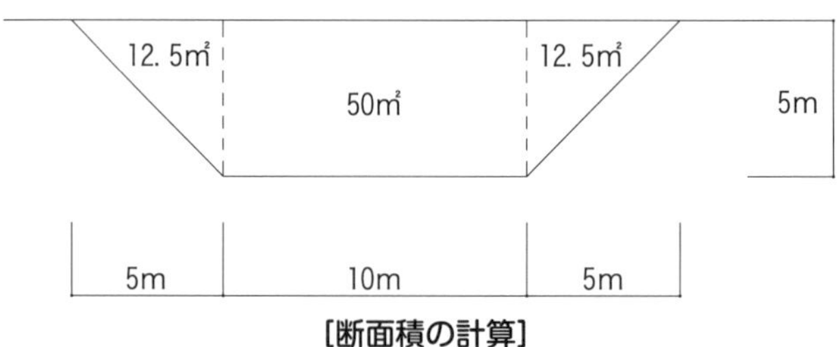

［断面積の計算］

・土量変化率 C から盛土量（締固め土量）を計算します。

盛土量 ＝ 地山の土量×土量変化率 C

＝ $7{,}500\ m^3 \times 0.8$ ＝ **6,000 m^3**

解答　(2)

問題14

盛土に適した盛土材料の性質として次のうち，**適切でないもの**はどれか。

(1)　盛土完成後のせん断強さが大きいこと
(2)　盛土完成後の圧縮性が大きいこと
(3)　施工中に間隙水圧が発生しにくいこと
(4)　重金属などの有害物質を溶出しないこと

解 説

(1)　盛土材料は，締固め後の**せん断強さが大きい**ものが望ましいです。
(2)　盛土材料は，締固め後の**圧縮性が小さい**ものが望ましいです。
(3)　施工中に**間隙水圧が発生しにくい**盛土材料が適しています。
(4)　重金属などの**有害物質を溶出しない**盛土材料が適しています。

解答　(2)

問題15

出る　出る　出る

法面に関する次の記述のうち，**適切でないもの**はどれか。

(1)　盛土または切土は，その高さに関係なく標準の法面勾配が定められている。
(2)　一般的に，盛土より切土の方が法面勾配を急にすることができる。
(3)　盛土高とは，法肩と法尻の高低差をいう。
(4)　切土，盛土の法面の傾斜の度合いを法面勾配といい，垂直高さ1に対する水平距離の比で示す。

解 説

(1)　盛土，切土の法面勾配は，**その高さに対応した**標準の法面勾配が定められています。
(2)　盛土より**切土の方が**法面勾配を**急に（割合で小さく）する**ことができます。

地盤のしっかりした切土の方が，
法面勾配を急にできます。

(3)　**3．土工の法面**（P37）を参照してください。
法肩（法面の上端）と法尻（法面の下端）の高低差を**盛土高（切土高）**といいます。

(4)　法面勾配1：αは，垂直距離1に対する**水平距離α**の比を表しています。

解答　(1)

問題16

道路・河川等に関する次の記述のうち，**適切でないもの**はどれか。

(1)　道路の路面には，一般に直線区間では左右対称に横断勾配，曲線区間では片勾配が設けられる。

(2)　河川では，上流を背にして河川の右手側を右岸，左手側を左岸という。

(3)　堤防を中心にして河川の流れがある側を堤内地，反対側を堤外地という。

(4)　アスファルト舗装は，路床の上の路盤，基層，表層で構成される。

解　説

(1)　直線区間の道路では中央から路肩に向かって，雨水が流れるように**1.5～2.0％程度の横断勾配**が設けられます。また，**曲線区間**では，自動車の走行を安全にするために**片勾配**が設けられます。

(2)　水の流れる**下流に向かって（上流を背にして）**，右手側が右岸，左手側が左岸です。

(3)　**5．河川の土構造物**（P38）を参照してください。堤防を中心にして，河川の流れがある側が**堤外地**，反対側が**堤内地**です。

(4)　アスファルト舗装において，路床の上の舗装部分は，**路盤**，**基層**，**表層**で構成されます。

解答　(3)

道路の構造に関する次の記述のうち，**適切なもの**はどれか。

(1)　盛土における路床以外の土の部分を路盤という。

(2)　舗装の下の土の部分で，ほぼ均一な厚さ約1 mの層を路体という。

(3) アスファルト舗装の道路においては，表層，基層及び路盤を舗装という。
(4) コンクリート舗装の道路においては，コンクリート版と路体を舗装という。

解 説

4．道路の土構造物（P37〜P38）を参照してください。
(1) 盛土における路床以外の土の部分は**路体**です。
(2) **舗装の下**の土の部分で，ほぼ均一な厚さ約1 mの層は**路床**です。
(3) **問題16** の 解 説 (4)を参照してください。
(4) コンクリート舗装の道路において，路床の上の舗装部分は，**路盤**と**コンクリート版**で構成されます。

解答 (3)

問題18 出る 出る 出る

土工に関する次の記述のうち，**適切でないもの**はどれか。
(1) 土の運搬計画に必要な土量変化率Lは，$\dfrac{\text{締固めた土量（m}^3\text{）}}{\text{地山の土量（m}^3\text{）}}$で定義される。
(2) 締固め後の吸水による膨潤性が小さい土は，盛土材料として適している。
(3) 切土による発生土を盛土に使用する場合，切土量と盛土量のバランスを検討する。
(4) 河川堤防の法面勾配は，2割よりも緩やかなものとする。

解 説

(1) **問題12** の 解 説 (2)を参照してください。
(2) 盛土材料として適しているのは，吸水による**膨潤**（ぼうじゅん）**性の低い（小さい）土**です。
(3) 切土量と盛土量のバランスを検討する場合には，**土積図**（どせきず）**（マスカーブ）**が用いられます。
(4) 河川堤防の法面勾配は，原則として，**2割（1：2.0）**より緩やかにします。

解答 (1)

4 建設機械による土工作業

要点の整理と理解

1. 土工作業と建設機械

作業の種類と使用される主な建設機械

作業の種類	使用される主な建設機械
伐開除根	ブルドーザ，レーキドーザ，バックホウ
掘　削	ショベル系掘削機（ショベル，バックホウ，ドラグライン，クラムシェル），ローダ，ブルドーザ，リッパ，ブレーカ
積込み	ショベル系掘削機（ショベル，バックホウ，ドラグライン，クラムシェル），ローダ
掘削，積込み	ショベル系掘削機（ショベル，バックホウ，ドラグライン，クラムシェル），ローダ
掘削，運搬	ブルドーザ，スクレーパ，スクレープドーザ
運　搬	ブルドーザ，ダンプトラック，不整地運搬車，ベルトコンベヤ
敷均し，整地	ブルドーザ，モータグレーダ
含水量調節	モータグレーダ，散水車（トレンチャ）
締固め	タイヤローラ，振動ローラ，ロードローラ，タンピングローラ，振動コンパクタ，ランマ，ブルドーザ
砂利道補修	モータグレーダ
溝掘り	バックホウ，トレンチャ
法面仕上げ	バックホウ，モータグレーダ
削　岩	レックドリル，ドリフタ，ブレーカ，クローラドリル，

伐開除根（ばっかいじょこん）とは，掘削，盛土の施工に先立って行う，草木の刈取り，除根，表土の削り取りなどの作業をいいます。大規模な伐開除根には，ブルドーザやレーキドーザが使用されます。

2．土工事における掘削方法

主な掘削方法

工法	ベンチカット工法 （階段式掘削）	ダウンヒルカット工法 （傾斜式掘削）
概要	①②③④⑤⑥⑦⑧⑨ 階段式に掘削を行う工法で，地山が硬い場合は発破を使用する。	①②③④ 傾斜面の下り勾配を利用して掘削する工法。
使用機械	ショベル系掘削機，ローダ	ブルドーザ，スクレーパ，スクレープドーザなど

3．岩の掘削

岩の掘削には，発破（はっぱ）を使用しない掘削と，発破を使用する掘削があります。前者の掘削として，軟岩や硬土などの掘削はリッパ装置付きブルドーザで行い，これを**リッパ工法**といいます。また，リッパ作業のできる程度を**リッパビリティ**といい，地山の**弾性波速度**などで判断されます。

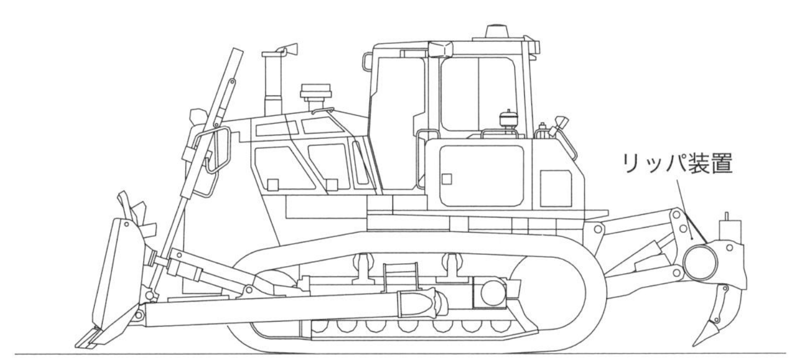

［リッパ装置付きブルドーザ］

4. 土工事における運搬

土工事における運搬作業は，掘削・積込み作業と相互に関連しています。運搬に用いる建設機械は，掘削と運搬を同時に行う機械と，ダンプトラックのように掘削・積込み機械と組み合わせて運搬作業を行う場合があります。

運搬機械の種類による土の運搬距離

運搬機械の種類	適応する運搬距離
ブルドーザ	60 m 以下
スクレープドーザ	40～250 m
被牽引式（ひけんいん）スクレーパ	60～400 m
モータスクレーパ	200～1,200 m
ショベル系掘削機＋不整地運搬車	40～250 m
ショベル系掘削機＋ダンプトラック	100 m 以上
ローダ＋ダンプトラック	100 m 以上

5. トラフィカビリティ

建設機械で運搬する場合，機械の走行面の状態が施工能率に大きく影響を与えます。土の建設機械に対する走行可能な度合を**トラフィカビリティ**といい，一般に，**コーンペネトロメータ**で測定した**コーン指数**（q_c）で示されます。**コーン指数（q_c）が大きい**ほど，その土はトラフィカビリティに富み，**走行しやすい土**を表します。

建設機械の走行に必要なコーン指数（kN/m²）

運搬機械の種類	コーン指数（q_c）
超湿地ブルドーザ	200 以上
湿地ブルドーザ	300 以上
普通ブルドーザ（15 t 級程度）	500 以上
普通ブルドーザ（21 t 級程度）	700 以上
スクレープドーザ	600 以上（超湿地型は 400 以上）
被牽引式スクレーパ	700 以上
モータスクレーパ（小型）	1,000 以上
ダンプトラック	1,200 以上

試験によく出る問題

問題19 出る 出る 出る

土工作業の種類と使用される建設機械の組合せとして次のうち，**適切でないもの**はどれか。

（土工作業の種類）　　　　　　　　（建設機械）

(1)　掘削積込み ―――――― バックホウ，ブルドーザ
(2)　運搬 ――――――――― ブルドーザ，ベルトコンベア
(3)　敷ならし ――――――― 整地ブルドーザ，モータグレーダ
(4)　溝掘り ―――――――― バックホウ，トレンチャ

解 説

1．土工作業と建設機械（P44）を参照してください。

(1)　**ブルドーザ**は，掘削，運搬などで使用されますが，**積込み**で使用されません。
(2)　**運搬**で使用される建設機械は，**ブルドーザ**，ダンプトラック，不整地運搬車，**ベルトコンベア**です。
(3)　**敷均**（なら）**し**，**整地**で使用される建設機械は，**ブルドーザ**，**モータグレーダ**です。
(4)　**溝掘り**で使用される建設機械は，**バックホウ**，**トレンチャ**です。

解答　(1)

問題20 出る 出る 出る

土工作業の種類と使用機種（建設機械）の組合せとして次のうち，**適切なもの**はどれか。

（種類）　　　　　　　　（建設機械）

(1)　伐開除根 ―――― バックホウ，ブルドーザ，トラクタショベル
(2)　掘削，積込み ―― トラクタショベル，バックホウ，クラムシェル
(3)　締固め ――――― モータグレーダ，タイヤローラ，振動コンパクタ
(4)　溝掘り ――――― トレンチャ，バックホウ，ベルトコンベヤ

解 説

1．土工作業と建設機械（P44）を参照してください。

⑴ **トラクタショベル**は，掘削，積込みなどで使用されますが，**伐開除根**で使用されません。

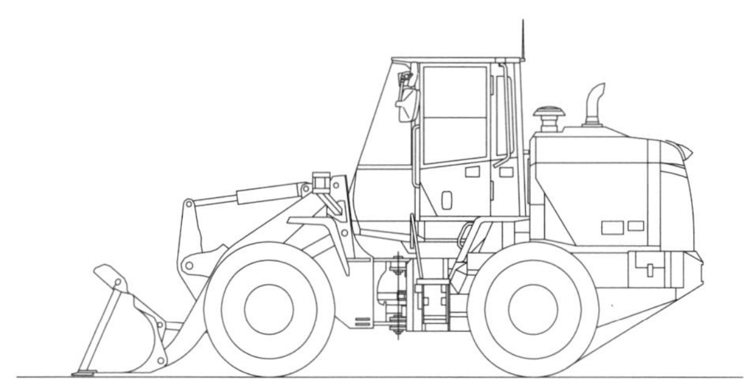

［トラクタショベル（ローダ）］

⑵ **掘削，積込み**で使用される建設機械は，ショベル系掘削機（**ショベル，バックホウ**，ドラグライン，**クラムシェル**）と，ローダです。

⑶ **モータグレーダ**は，敷均し，整地などで使用されますが，**締固め**で使用されません。

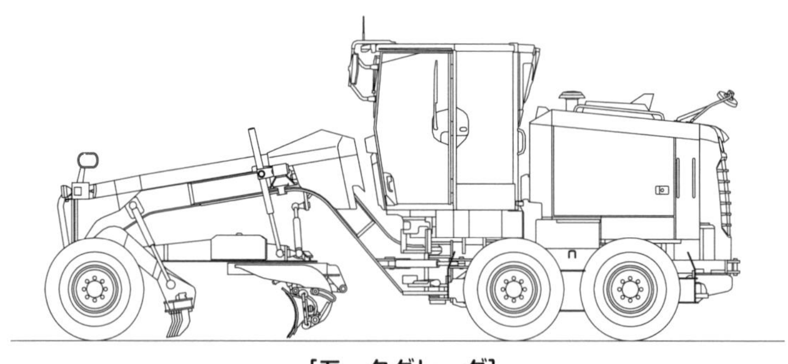

［モータグレーダ］

⑷ **ベルトコンベヤ**は，運搬で使用されますが，**溝掘り**で使用されません。

解答 ⑵

土工作業に関連する次の記述のうち，**適切なもの**はどれか。

(1) リッパビリティは，土の締固め試験などで判断される。

(2) ベンチカット工法は，下り勾配を利用して，ブルドーザなどにより掘削・運搬を行う工法である。

(3) トラフィカビリティは，ポータブルコーンペネトロメータで測定したコーン指数で示される。

(4) ダウンヒルカット工法は，バックホウなどにより階段式に掘削する方法である。

解説

(1) **3．岩の掘削**（P45）を参照してください。

リッパビリティは，地山の**弾性波速度**などで判断されます。なお，ブルドーザの質量が大きいほど，リッパビリティも大きくなります。

弾性波速度とリッパ作業可能範囲

規　格	弾性波速度（km/s）
21t 級リッパ装置付ブルドーザ	平均 1.5 程度以下（1.4〜1.8）
32t 級リッパ装置付ブルドーザ	平均 2.0 程度以下（1.8〜2.2）
43t 級リッパ装置付ブルドーザ	平均 2.5 程度以下（2.3〜2.8）

弾性波速度とは，弾性体（岩盤）の中を伝播する波動（弾性波）の速度をいいます。

(2) **2．土工事における掘削方法**（P45）を参照してください。

ベンチカット工法は，**階段式に掘削を行う工法**です。記述の内容は，**ダウンヒルカット工法**の記述です。

(3) **5．トラフィカビリティ**（P46）を参照してください。

(4) 上記(2)を参照してください。バックホウなどにより**階段式に掘削**する方法は，**ベンチカット工法**です。

解答　(3)

問題22 出る 出る 出る

土工事における掘削工法に関する次の記述のうち，**適切でないもの**はどれか。

(1) ベンチカット工法は，工事規模が大きい場合に適している。

(2) ダウンヒルカット工法の掘削には，ホイールローダが適している。

(3) 基本的な掘削方法として，ダウンヒルカット工法（傾斜面掘削）とベンチカット工法（階段式掘削）がある。

(4) ベンチカット工法は，掘削機械に見合ったベンチ高さの選定が必要である。

解説

(1) **ベンチカット工法**は階段式に掘削を行うので，危険性が少なく，**工事規模が大きい場合**に適しています。

(2) **ダウンヒルカット工法**の掘削には，**ブルドーザ，スクレープドーザ，スクレーパ**などが適しています。

(3) **2．土工事における掘削方法**（P45）を参照してください。

(4) ベンチカット工法を行う場合は，掘削機械に見合った**ベンチ高さの選定**が重要になります。

解答 (2)

問題23

トラフィカビリティに関する次の記述のうち，**適切なもの**はどれか。

(1) コーン指数が小さいほど，その土はトラフィカビリティに富み，建設機械の走行しやすい土といえる。

(2) 湿地ブルドーザの走行に必要とされるコーン指数は，普通ブルドーザの走行に必要なコーン指数より大きい。

(3) 一般にトラフィカビリティは，CBR 試験で測定したコーン指数で示される。

(4) コーン指数が 400 kN/m^{2}程度の場所の掘削押土作業には，一般に湿地ブルドーザが適する。

解 説

5．トラフィカビリティ（P46）を参照してください。

(1) **コーン指数が大きい**ほど，その土はトラフィカビリティに富み，建設機械の**走行しやすい土**です。

(2) 建設機械の走行に必要とされるコーン指数の大小関係は，**湿地ブルドーザ＜普通ブルドーザ**で，湿地ブルドーザのコーン指数は，普通ブルドーザのコーン指数より**小さい**です。

(3) **問題21** の(3)を参照してください。

トラフィカビリティは，**ポータブルコーンペネトロメータ**で測定したコーン指数で示されます。

(4) **湿地ブルドーザ**のコーン指数は**300 kN/m²以上**で，400 kN/m²程度の場所の掘削押土（おしど）作業に適しています。

解答 (4)

問題24 

土工の掘削運搬作業において，運搬距離が 200 m 以上となる場合の機械の選定として次のうち，**適切でないもの**はどれか。

(1) ショベル系掘削機＋ダンプトラック

(2) 被けん引式スクレーパ

(3) スクレープドーザ

(4) ブルドーザ

解 説

4．土工事における運搬（P46）を参照してください。

適応する運搬距離は，(1) 100 m 以上，(2) 60～400 m，(3) 40～250 m，(4) 60 m 以下で，**ブルドーザ**の最適な運搬距離は **60 m 以下**です。

解答 (4)

5 舗装工

要点の整理と理解

1. アスファルト舗装の構成と役割

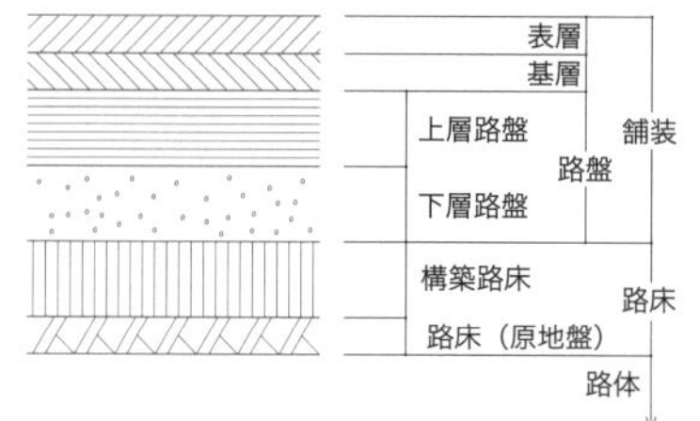

［アスファルト舗装の構成］

アスファルト舗装の名称と主な役割

名　称	主な役割
表　層	交通の安全性や快適性などの路面の機能を確保するためのもの。
基　層	路盤の不陸（ふろく）（デコボコ）を補正するとともに，表層に加わる交通荷重を路盤に均等に分散させるためのもの。
路　盤	表層および基層に均一な支持基盤を与えるとともに，交通荷重を分散して路床に伝達するためのもの。
路　床	路盤と路体の間にあり，改良や置換えを行って，舗装の支持力を確保するためのもの。改良した層を構築路床（こうちくろしょう）という。

2. 各種のアスファルト舗装

●材料別の分類

舗装の種類	概要・特徴
半たわみ性舗装	・空隙率の大きな開粒度タイプの半たわみ性舗装用アスファルト混合物に，浸透用セメントミルクを浸透させた舗装。 ・アスファルト舗装のたわみ性とコンクリート舗装の剛性（ごうせい）を複合的に活用した耐久性を有する。

グースアスファルト舗装	・高温時のアスファルト混合物（グースアスファルト混合物）の流動性を利用して流し込み，ローラ転圧を行わない舗装。 ・不透水性で，たわみに対する追従性が高いことから，鋼床版（こうしょうばん）舗装の防水層に用いる。 ・プレコートチップを圧入して耐流動性やすべり抵抗性を向上させた表層用のロールドグースもある。
砕石マスチック舗装	・粗骨材の噛み合わせ効果と，アスファルトモルタルの充填効果をもった不連続粒度のアスファルト混合物を使用した舗装。 ・耐流動性，水密性，耐摩耗性，滑り抵抗性の高い舗装。
ポーラスアスファルト舗装	・ポーラスアスファルト混合物を表層あるいは表層・基層に用いる舗装。 ・高い空隙率を有することから，雨水を路面下に浸透させる機能や車両走行の交通騒音を低減させる機能を有する。

ポーラスアスファルト混合物とは，空隙率の大きい開粒度アスファルト混合物をいいます。

●機能別の分類

舗装の種類	概要・特徴
保水性舗装	・ポーラスアスファルト混合物の空隙に保水・吸水性能を有する材料（保水材）を充てんした舗装。 ・保水された水分が蒸発し気化熱が奪われることにより，路面温度の上昇を抑制する機能を有する。
排水性舗装	・路面の雨水を速やかに排水することを目的として，空隙率の大きなポーラスアスファルト混合物を用いる舗装。
透水性舗装	・表層，基層，路盤等に透水性を有した材料を適用し，路床まで雨水を浸透させる構造とした舗装。

低騒音舗装	・表層に空隙率の大きい材料を用いた舗装により，エアポンピング音などを空隙に吸収し，騒音を低減させる舗装。
すべり止め舗装	・急坂部，曲線部，歩行者の多い横断歩道の直前など，特に路面の滑り抵抗性を高める必要がある場合に用いる舗装。 ・混合物自体の滑り抵抗性を高める工法，樹脂系材料を使用して硬質骨材を路面に接着させる工法などがある。

3．アスファルト舗装の補修工法

アスファルト舗装の主な補修工法

工　法	概　要
シール材注入工法	アスファルト舗装のひび割れ箇所に，アスファルト系又は樹脂系のひび割れ充填材を注入・充填する工法。
パッチング工法	アスファルト舗装の表面に発生したポットホール，剥離等の異常箇所にアスファルト混合物などの補修材で充填・穴埋めする工法。
オーバーレイ工法	舗装表面のひび割れ，わだち掘れなどの場合に，舗装の性能を回復させることを目的として，既設舗装の上に新たなアスファルト混合物層を嵩上げする工法。
切削オーバーレイ工法	オーバーレイ工法が採用できない場合など，ひび割れ，変形等が発生した既設舗装を切削除去して，新たなアスファルト混合物層を敷均す。
打換え工法	ひび割れ，変形等が発生した既設舗装の表層，基層及び路盤もしくは路盤の一部までを打ち換える工法。必要に応じて路床の置き換え，路床又は路盤の安定処理を行う場合もある。

アスファルト混合物は，「骨材（粗骨材・細骨材）」，「フィラー（石粉）」，「アスファルト」で構成されている。

試験によく出る問題

問題25 出る 出る 出る

各種の舗装に関する次の記述のうち，**適切でないもの**はどれか。

(1) アスファルト舗装系保水性舗装は，ポーラスアスファルト混合物の空隙に保水・吸水性能を有する材料（保水材）を充てんした舗装である。

(2) すべり止め舗装には，グルービングやブラスト処理などによって，粗面仕上げをする工法などがある。

(3) 低騒音舗装とは，表層に空隙率の大きい材料を用いた舗装などにより，エアポンピング音などを空隙に吸収し，騒音を低減させる舗装である。

(4) 排水性舗装は，表層，基層，路盤等に透水性を有した材料を適用し，路床まで雨水を浸透させる構造とした舗装である。

解説

2．各種のアスファルト舗装（P52～P54）を参照してください。

(1) アスファルト舗装系**保水性舗装**は，**ポーラスアスファルト混合物**の**空隙に保水材を充てん**した舗装です。保水された水分が蒸発する際の気化熱により，路面温度の上昇と蓄熱を抑制します。

(2) **すべり止め舗装**は，路面の滑り抵抗性を高める必要がある場合に用いる舗装で，**グルービング**や**ブラスト処理**による粗面仕上げをする方法があります。

グルービング：道路の路面に溝を刻む。
ブラスト処理：細かい玉や鋭角を持つ玉を噴射して，凹凸面をつくる。

(3) **低騒音舗装**とは，表層に**空隙率の大きい材料**を用いた舗装で，エアポンピング音などを空隙に吸収して，騒音を低減させます。

(4) 表層，基層，路盤等に透水性を有した材料を適用し，**路床まで雨水を浸透させる**構造とした舗装は，**透水性舗装**です。

解答 (4)

問題26 出る 出る 出る

各種のアスファルト舗装に関する次の記述のうち，**適切でないもの**はどれか。

(1) 半たわみ性舗装は，空隙率の大きな開粒度タイプの半たわみ性舗装用アスファルト混合物に，浸透用セメントミルクを浸透させた舗装である。

(2) グースアスファルト舗装は，交差点などの耐流動性を求められる箇所に用いられる。

(3) ポーラスアスファルト舗装は，混合物が高い空隙率を有することから，雨水を路面下に浸透させる機能がある。

(4) アスファルト舗装系保水性舗装は，ポーラスアスファルト混合物の空隙に保水・吸水性能を有する材料を充填した舗装である。

解 説

2．各種のアスファルト舗装（P52）を参照してください。

(1) **半たわみ性舗装**は，アスファルト混合物に，浸透用セメントミルクを浸透させた舗装です。

(2) **グースアスファルト舗装**は，不透水性で，たわみに対する追従性が高いことから，**鋼床版舗装**に用います。

(3) **ポーラスアスファルト舗装**は，**透水性舗装**や**低騒音舗装**としての機能があります。

(4) 問題25 の 解 説 (1)を参照してください。

解答 (2)

問題27

アスファルト舗装の補修工法と施工機械に関する次の組合せのうち，**適切でないもの**はどれか。

	（補修工法）		（施工機械）
(1)	表層・基層打換え工法	――	路面切削機
(2)	打換え工法	――	ブレーカ
(3)	路上表層再生工法	――	路上破砕混合機
(4)	オーバーレイ工法	――	アスファルトフィニッシャ

解説

(1) **表層・基層打換え工法**は，ひび割れ，変形等が発生した既設舗装の表層，基層を打ち換える工法で，**路面切削機**を使用します。

(2) **打換え工法**において，必要に応じて路床の置き換え，路床又は路盤の安定処理を行う場合には，**ブレーカ**を用います。

(3) **路上表層再生工法**は，既設アスファルト舗装を加熱，かきほぐし，敷均し，締固める等の再生方法で，主な専用施工機械は，**路上表層再生機（リペーパ，リミキサ）**です。**路上破砕混合機（ロードスタビライザ）**は，**路上路盤再生工法**で用いられます。

(4) 既設舗装の上に新たなアスファルト混合物層を嵩上げ（かさあ）するオーバーレイ工法の場合，締固めと平面仕上げが可能な**アスファルトフィニッシャ**が用いられます。

解答 (3)

問題28 出る 出る 出る

アスファルト舗装の補修工法と使用材料に関する次の組合せのうち，**適切でないもの**はどれか。

（補修工法）　　　　（使用材料）

(1) 打換え工法 ―――― 加熱アスファルト混合物
(2) 段差すり付け工法 ―――― アスファルト乳剤系混合物
(3) 路上表層再生工法 ―――― フォームドアスファルト
(4) 表面処理工法 ―――― アスファルト乳剤

解説

(1) **打換え工法**は，破損した舗装を取り除いて新しく舗装を設けるので，**加熱アスファルト混合物**を使用します。

(2) **アスファルト乳剤系混合物**は，低温期の**段差修正**や**ポットホール補修**を目的とした補修に使用されます。

(3) **フォームドアスファルト**は，**路上路盤再生工法**で用いられます。路上路盤再生工法は，既設の路面を破砕し下面の路盤と混合するもので，添加剤として加熱アスファルトに水を加えた泡状のアスファルトを用いた**フォームドア**

スファルト工法があります。

(4) **アスファルト乳剤**は，主として舗装の**表面処理**，安定処理，タックコートなどに使用されます。

解答 (3)

問題29

アスファルト舗装の破損形態と補修工法に関する次の組合せのうち，**適切でないもの**はどれか。

（破損形態）		（補修工法）
(1) ポットホール	―――	パッチング工法
(2) 段差	―――	シール材注入工法
(3) わだち掘れ	―――	切削オーバーレイ工法
(4) 亀甲状ひび割れ	―――	打換え工法

解 説

3．アスファルト舗装の補修工法（P54）を参照してください。

(1) アスファルト舗装の表面に発生した**ポットホール（陥没(かんぼつ)した穴）**，剥離(はくり)等には**パッチング工法**が適しています。

(2) **段差**には，**段差すり付け工法**が適しています。

(3) **わだち掘れ**とは，車の車輪通過位置（わだち部）に発生した道路の延長方向の凹(へこ)みをいい，**切削オーバーレイ工法**が適切です。

(4) **亀甲(きっこう)状ひび割れ**に対しては，**打換え工法**が適切です。

解答 (2)

問題30

コンクリート舗装に関する次の記述のうち，**適切でないもの**はどれか。

(1) 普通コンクリート版には，縦目地，横収縮目地および膨張目地を設置する。

(2) 普通コンクリート版には，鉄網や縁部補強鉄筋等は使用しない。

(3) セットフォーム工法は，路盤上あるいはアスファルト中間層上にあらかじめ設置した型枠内にコンクリートを舗設する工法である。

(4) スリップフォーム工法は，型枠を設置せず専用のスリップフォームペーバを用いてコンクリートを舗設する工法である。

解説

(1) 温度変化や乾燥収縮等によるクラック発生を防止するために，**一定の間隔に目地を設けます**。

(2) 普通コンクリート版には，**鉄網や縁部補強鉄筋等を使用**します。

(3) **セットフォーム工法**は，路盤上もしくはアスファルト中間層上に設置した**型枠内に**コンクリートを舗設する工法です。

(4) **スリップフォーム工法**は，**型枠を必要としない**コンクリート舗装機械（スリップフォームペーバ）を用いてコンクリートを舗設する工法です。

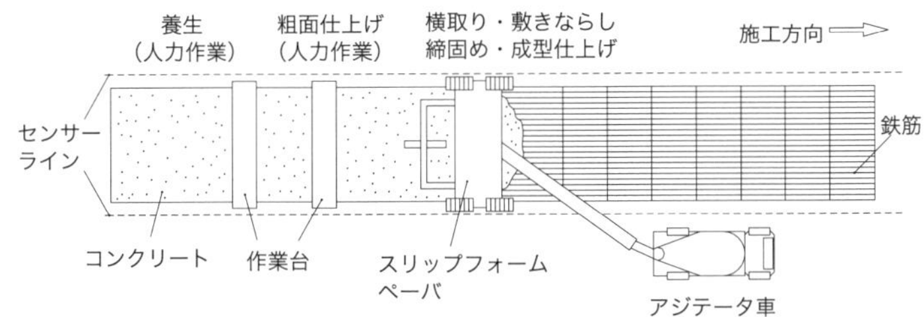

［スリップフォーム工法］

解答 (2)

コンクリート舗装とアスファルト舗装の比較

評価項目	コンクリート舗装	アスファルト舗装
構造特性	路床強度の高い場合に有利。（剛性舗装）	軟弱地盤にも適している。（たわみ性舗装）
維持修繕	目地の維持に手間がかかる。	ひび割れ，わだち掘りに起因する補修が多い。
トータルコスト	コンクリート舗装は，イニシャルコストは高いが，寿命が長いのでトータルでは同程度。	
交通解放までの時間	養生に時間を要し，交通解放までに時間がかかる。	施工直後に交通解放ができる。
耐流動性・耐摩耗性	耐流動性・耐摩耗性に優れている。	一般に耐流動性・耐摩耗性に劣るが，改質アスファルト等によってその改善が図られている。

6 基礎工

要点の整理と理解

1. 基礎工法の分類

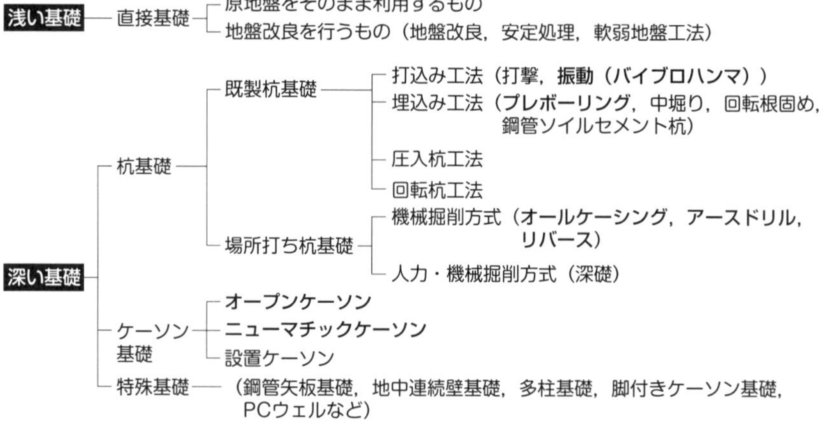

［基礎工法の分類］

2. 杭基礎の主な工法

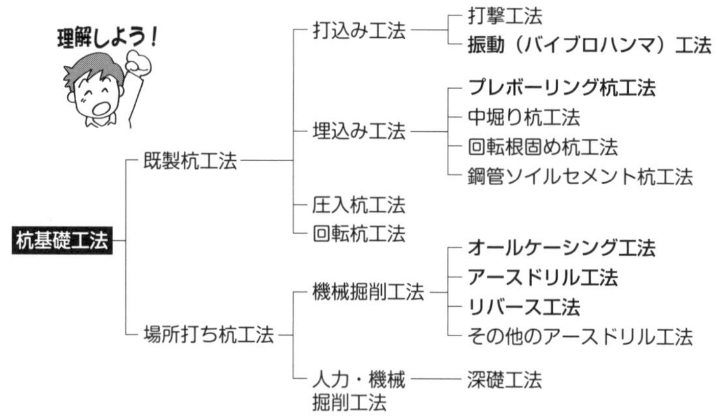

［杭基礎の主な工法］

3．場所打ちコンクリート杭の主な工法

場所打ちコンクリート杭の主な工法

オールケーシング工法	アースドリル工法	リバース工法
掘削：**ハンマーグラブ**	掘削：**回転バケット**	掘削：**回転ビット**
掘削にあたり特殊な**ケーシングチューブ**を地中に揺動圧入しつつ，ハンマーグラブをケーシング内に落下させ，内部の土砂の掘削・排出を行う。	回転バケットにより掘削し，バケットに詰まった土を吊り上げて地上に排出する。	回転ビットを回転させて掘削し，土砂は中空ドリルパイプで水とともに吸い上げて排土する。吸い上げた泥水は，泥を除き，再度孔中へ戻す。
ケーシング ハンマーグラブ	注水 表層ケーシング 安定液 ケリーバー 回転バケット	スタンドパイプ 地下水位 2m以上 水頭圧 0.02N/mm²以上 回転ビット
孔壁保護：ケーシングチューブ	孔壁保護：ベントナイト溶液	孔壁保護：水頭圧

掘削方法は，
オールケーシング（つかむ）
アースドリル（さらう）
リバース（吸い上げる）
をポイントに覚えると良いです。

試験によく出る問題

問題31

基礎杭の工法分類に関する次の記述のうち，**適切でないもの**はどれか。

(1) 既製杭工法には，打込み杭工法や埋込み杭工法，回転杭工法がある。

(2) 場所打ち杭工法には，オールケーシング工法やリバース工法，アースドリル工法がある。

(3) 埋込み杭工法には，深礎工法やオープンケーソン工法がある。

(4) 打込み杭工法には，打撃工法やバイブロハンマ工法がある。

解 説

1．基礎工法の分類（P60）を参照してください。

(1) **既製杭**工法には，**打込み杭**工法，**埋込み杭**工法，圧入杭工法，**回転杭**工法があります。

(2) **場所打ち杭**工法には，**オールケーシング**工法，**アースドリル**工法，**リバース**工法などがあります。

(3) **埋込み杭**工法には，**プレボーリング杭**工法，**中堀り杭**工法，**回転根固め杭**工法，**鋼管ソイルセメント杭**工法があります。

(4) **打込み杭**工法には，**打撃**工法，**振動（バイブロハンマ）**工法があります。

解答 (3)

問題32

杭などの施工に関する次の記述のうち，**適切でないもの**はどれか。

(1) アースドリル工法では，杭の全長にわたりケーシングチューブを回転または揺動圧入し，ハンマーグラブで掘削，排土する。

(2) 深礎基礎工法では，ライナープレートなどにより孔壁の土留めをしながら，支持層まで内部土砂を人力または機械で掘削する。

(3) リバース工法では，孔内に水を満たし，ビットで掘削した土砂と水を，ドリルパイプを通して水槽に吸上げ，水を再び孔内に循環させ連続的に掘削する。

(4) ニューマチックケーソン工法では，ケーソン下部の作業室に圧縮空気を送り込み，人力または機械により土砂を掘削し，支持層まで沈下させる。

解説

(1) 杭の全長にわたり**ケーシングチューブ**を回転または揺動（ようどう）圧入し，**ハンマーグラブ**で掘削，排土する工法は，**オールケーシング工法**です。

(2) **深礎基礎工法**の土留め壁として**ライナープレート**などを使用します。ライナープレートは，波付けされた薄鋼板の四辺に組立用のフランジを設けた構造で，立坑・深礎工など広範囲の用途に用いられています。

(3) **リバース工法**は，回転ビットを回転させて掘削し，**土砂は中空ドリルパイプで水とともに吸い上げて**排土する。

(4) **ケーソン基礎**は，あらかじめ地上または地下において**箱状の構造物**をつくり，その底部の土を掘削し，自重もしくは荷重を加えて所定の地盤に沈下させる基礎です。

中空の箱状構造物の内部を掘削させながら沈下させる**オープンケーソン工法**，ケーソン先端部の作業空間に圧縮空気を送り，その圧力により地下水を排除して掘削，沈下させる**ニューマチックケーソン工法**があります。

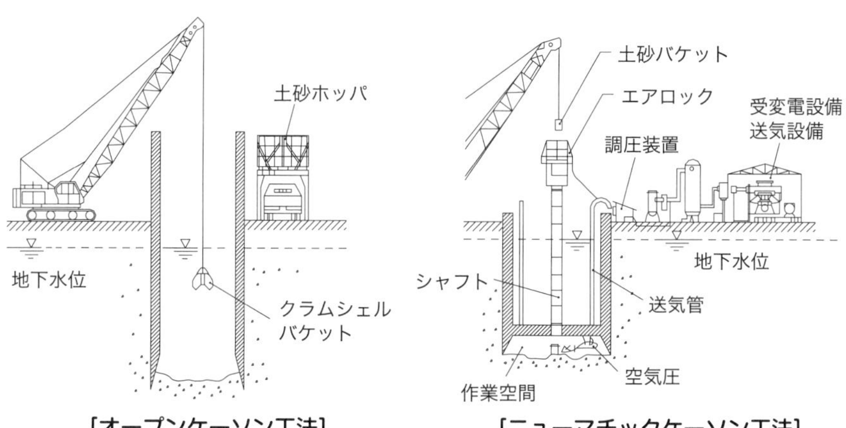

［オープンケーソン工法］　［ニューマチックケーソン工法］

解答　(1)

問題33 出る 出る 出る

既製杭の施工に関する次の記述のうち，**適切でないもの**はどれか。

⑴　中掘り杭工法では，掘削による杭先端部及び杭周辺地盤の緩みは支持力発現に問題となるので，掘削中は過大な先掘りを行ってはならない。

⑵　打込み杭工法において，１本の杭を打ち込むとき，杭打ちを中断すると時間の経過とともに杭周面の摩擦力が増大して以後の打込みが不能となることがある。

⑶　打込み杭工法で一群の杭を打つときは，打込みによる地盤の締固め効果により，既に打ち込んだ杭に移動，曲げなどの有害な変位が生じることがある。

⑷　中掘り杭工法では，杭の沈設後のスパイラルオーガやロッドは，ボイリングをおこさないよう急速に引上げる。

解 説

⑴　**中掘り杭工法**は，既製杭の**中空部にオーガなどを挿入**し，杭先端地盤を掘削しながら，杭中空部から排土し，杭を設置する工法です。掘削は地盤を必要以上に緩めないように注意し，支持層に近づいたら，オーガの**先掘りを少なくして，地盤の乱れを防止**します。

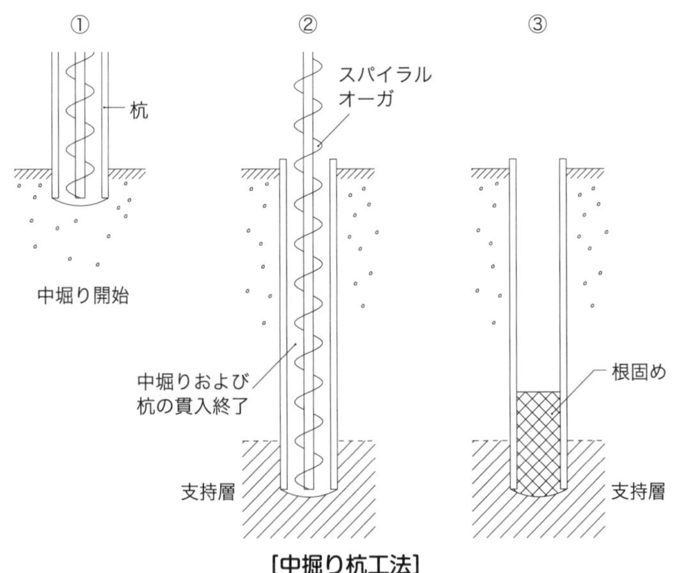

［中掘り杭工法］

⑵　**１本の杭の打込みは中断しない**で行います。一時中断すると打込みが困難になる場合があります。

⑶　**１群の杭の打込み**は，群の**中心から外側**へ向って打ち進めます。逆に進めた場合，地盤が締まってしまい，中心部での打込みが困難になります。

⑷　中掘り杭工法では，杭の沈設後のスパイラルオーガやロッドは，**ゆっくりと**正回転で引上げます。

解答　⑷

問題34 

基礎工に関する次の記述のうち，**適切でないもの**はどれか。

⑴　ケーソン基礎では，地下水がない場合は，オープンケーソンよりもニューマチックケーソンが適している。

⑵　フーチング基礎は，支持力が十分見込める良質な地盤に，直接支持させる基礎工である。

⑶　一般に，杭を材質により分類すると，鋼杭，コンクリート杭，合成杭に分類される。

⑷　杭工法には，既製杭工法と場所打ち杭工法がある。

解説

⑴　**問題32** の 解 説 ⑷を参照してください。

ケーソン基礎において，**地下水がある場合**は，オープンケーソンよりも**ニューマチックケーソン**が適しています。

⑵　**フーチング基礎**は，支持力が十分見込める良質な地盤に，**直接支持**させる**直接基礎**です。

⑶　材質による**杭の分類**では，**鋼杭**，**コンクリート杭**，**合成杭**に分類されます。

⑷　**１．基礎工法の分類**，**２．杭基礎の主な工法**（P60）を参照してください。

解答　⑴

7 軟弱地盤対策工

要点の整理と理解

1. 軟弱地盤対策工の目的と効果

軟弱地盤対策工の目的と効果

	目　的	効　果
沈下対策	圧密沈下の促進	地盤の沈下を促進して，有害な残留沈下量を低減する。
	全沈下量の現象	地盤の沈下自体を低減する。
安定対策	せん断変形の抑制	盛土によって周辺地盤が膨（ふく）れ上がったり，側方に移動したりするのを抑制する。
	強度低下の抑制	盛土などの荷重によって，地盤の強度が低下することを抑制して，地盤の安定を図る。
	強度増加の促進	地盤の強度を増加させることで，地盤の安定を図る。
	滑り抵抗の増加	盛土形状を変えたり，地盤の一部を置換（おきか）えたりすることで，滑り抵抗を増加し，地盤の安定を図る。
地震時対策	液状化の防止	液状化を防止して地震時の地盤の安定を図る。

2. 軟弱地盤対策工の種類

軟弱地盤対策工の主な工法と概要

工　法		概　要
表層処理工法	敷設（ふせつ）材工法	軟弱地盤の表面にジオテキスタイル（化学製品の布や網），鉄網，そだなどを敷広（しきひろ）げる。
	表層混合処理工法	軟弱地盤の表面を石灰やセメントで処理する。
	表層排水工法	排水溝を設けて排水し地盤を改良する。
	サンドマット工法	透水性の高い砂や砂れきを敷くことで，地下水の排水を行い，地盤の強度を高める。

工法		概要
置換工法	掘削置換工法	軟弱層の一部または全部を除去して，良質土（液状化の防止の場合は砕石）で置換える。
	強制置換工法	盛土の重さで押出して置換える。
押え盛土工法	押え盛土工法	盛土本体の側方に押え盛土をして，盛土本体の滑り破壊を防止する。盛土本体の強度が増加した後，押え盛土を除去する場合もある。
	緩斜面工法	盛土の法面勾配を緩くして滑り破壊を防止する。
盛土補強工法		盛土の中に鋼製ネット，帯鋼，ジオテキスタイルなどを設置して，地盤の側方流動や滑り破壊を防止する。
荷重軽減工法	軽量盛土工法	盛土本体の質量を軽減して，原地盤へ与える盛土の影響を少なくする。盛土材として発泡材，軽石，スラグなどが使用される。
緩速載荷工法		盛土の施工に時間をかけて段階的に盛土する。
載荷重工法	盛土荷重載荷工法	盛土や構造物を計画している地盤に，あらかじめ荷重をかけて沈下を促進した後，あらためて構造物を造り，その沈下を軽減させる。
バーチカルドレーン工法	サンドドレーン工法	地盤中に適当な間隔で鉛直方向に砂柱やカードボードなどを設置して，水平方向の圧密排水距離を短縮することで，圧密沈下の促進，強度増加を図る。
	カードボードドレーン工法	
サンドコンパクションパイル工法		軟弱地盤に締固めた砂杭をつくり，軟弱層を締固めるとともに砂杭の支持力によって安定性を増加し，沈下量を減らす。

名称は，
ロッド（棒）
コンパクション（圧縮する）
パイル（杭）
をポイントに覚えると良いです。

工　法		概　要
振動締固め工法	バイブロフローテーション工法	緩い砂質地盤中に棒状の振動機を入れ，振動部付近に水を注入しながら，振動と注水の効果で地盤を締固める。
	ロッドコンパクション工法	緩い砂質地盤の締固めを目的としたもので，棒状の振動体に上下振動を与えながら地盤中に貫入して締固めを行う。
	重錘落下（じゅうすいらっか）締固め工法	地盤上に重錘を落下させて地盤を締固めるとともに，地盤中の過剰水を排出させて，せん断強さの増加を図る。
固結工法	深層混合処理工法	軟弱地盤の地表から深層までを，セメントまたは石灰などと原地盤の土を混合して，柱状体または全面的に地盤を改良する。
	石灰パイル工法	軟弱地盤中に生石灰の柱を造り，その吸水力や化学的結合によって地盤を固結させる。
	薬液注入工法	地盤中に薬液を注入して透水性の減少または原地盤の強度を増大させる。
	凍結工法	地盤中に凍結用の管を設置して冷却液を循環させ，地盤中の間隙水を人工的に凍結させることで地盤の強度を増大させる。
構造物による工法	矢板工法	盛土側面の地盤に矢板を打設して地盤の側方変位を防止する。
	杭工法	盛土側面や下部の地盤に杭を打設して，盛土本体の安全性を増して沈下を減少させる。
	カルバート工法	盛土では荷重が大きく，不安定となり沈下量が大きい場合に，盛土の代わりに**カルバート**（陶管，鉄筋コンクリート管）を並べて，盛土をする。カルバートの代わりに，コルゲートパイプ（波形管）を並べる場合もある。

3．軟弱地盤対策工の工法と期待される効果

軟弱地盤対策工の主な工法と効果

対策		沈下		安定				地震
工法＼効果		圧密沈下の促進	全沈下量の減少	せん断変形の抑制	強度低下の抑制	強度増加の促進	滑り抵抗の増加	液状化の防止
表層処理工法		×	×	◎	○	○	○	×
置換工法		×	○	○	×	×	◎	○
押え盛土工法		×	×	○	×	×	◎	×
盛土補強工法		×	×	○	×	×	◎	×
荷重軽減工法（軽量盛土工法）		×	◎	×	◎	×	×	×
緩速載荷工法		×	○	×	◎	×	×	×
載荷重工法（盛土荷重載荷工法）		◎	×	×	×	○	×	×
バーチカルドレーン工法		◎	×	○	×	○	×	×
サンドコンパクションパイル工法		○	◎	○	×	×	◎	◎
振動締固め工法	バイブロフローテーション工法	×	○	×	×	×	○	◎
	ロッドコンパクション工法	×	○	×	×	×	○	◎
	重錘落下締固め工法	×	○	○	×	×	×	◎
固結工法	深層混合処理工法	×	◎	○	×	◎	×	×
	石灰パイル工法	×	◎	×	×	◎	×	×
	薬液注入工法	×	◎	×	×	◎	×	×
	凍結工法	×	◎	×	×	◎	×	×
構造物による工法	矢板工法	×	×	◎	×	×	◎	×
	杭工法	×	◎	◎	×	×	◎	×
	カルバート工法	×	◎	×	◎	×	×	×

◎：主効果　○：二次的な効果　×：効果なし

試験によく出る問題

軟弱地盤対策工法に関する次の記述のうち，**適切でないもの**はどれか。

(1)　プレロード工法は，土に比べて軽量な材料で盛土等を施工し，粘性土層の沈下量やすべり滑動力の低減を図る工法である。

(2)　サンドマット工法は，地盤表層に砂を敷きならすことにより，軟弱層の圧密のための上部排水を確保する工法である。

(3)　表層排水工法は，表層部にトレンチを設置することにより，トラフィカビリティを確保する工法である。

(4)　押え盛土工法は，盛土本体の側方部を本体より小規模な盛土で押さえて，盛土の安定性の確保を図る工法である。

解 説

2．軟弱地盤対策工の種類（P66）を参照してください。

(1)　土に比べて**軽量な材料で盛土等を施工**し，粘性土層の沈下量やすべり滑動力の低減を図る工法は，**軽量盛土工法**です。**プレロード工法**は，土留め工法の一種です。

(2)　**サンドマット工法**は，地盤表層に**砂を敷きならす**工法です。

(3)　**表層排水工法**は，表層部に**排水溝（トレンチ）を設けて**排水し地盤を改良する工法です。

(4)　**押え盛土工法**は，盛土本体の**側方に押え盛土**をして，盛土本体の滑り破壊を防止する工法です。

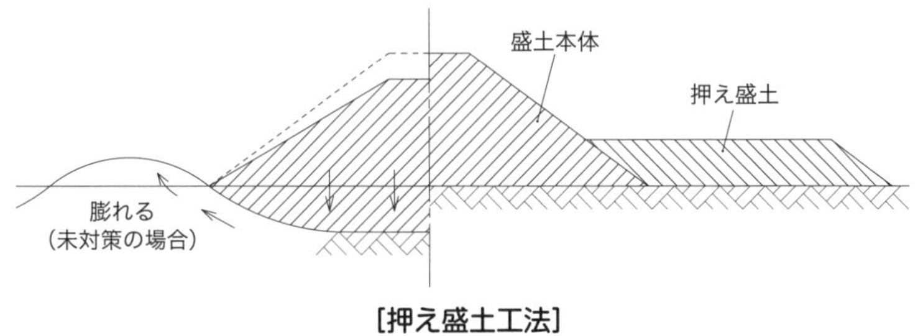

［押え盛土工法］

解答　(1)

問題36

軟弱地盤対策工に関する次の記述のうち，**適切でないもの**はどれか。

(1)　バイブロフローテーション工法は，セメントまたは石灰などの安定材と原地盤の土とを混合して地盤を改良する工法である。

(2)　軽量盛土工法には，盛土材として発泡スチロール，気泡混合軽量土，発泡ビーズなどが使用される。

(3)　表層混合処理工法は，軟弱地盤の表層部分の土とセメント系や石灰系などの添加材を撹拌混合する工法である。

(4)　振動棒工法は，棒状の振動体に振動を与えながら地盤中に貫入し，締固めを行う工法である。

解説

2．軟弱地盤対策工の種類（P66）を参照してください。

(1)　**バイブロフローテーション工法**は，緩い砂質地盤中に棒状の振動機を入れ，振動部付近に水を注入しながら，**振動と注水の効果**で地盤を締固める工法です。記述内容は，**深層混合処理工法**の内容です。

(2)　**軽量盛土工法**で使用する盛土材として，発泡スチロール，気泡混合軽量土，発泡ビーズなどがあります。

(3)　**表層混合処理工法**は，軟弱地盤の**表面を石灰やセメントで処理**する工法です。

(4)　**振動棒工法（バイブロロット工法）**は，棒状の振動体に**振動を与えながら地盤中に貫入**して締固めを行う工法で，**ゆるい砂地盤の締固め**に用いられます。

解答　(1)

問題37

セメント等の添加材を土と混合し，化学反応を利用して地盤を固結する軟弱地盤対策工法に**該当しない工法**は，次のうちどれか。

(1)　高圧噴射撹拌工法

(2)　薬液注入工法

(3) 石灰パイル工法
(4) サンドコンパクションパイル工法

解 説

2．軟弱地盤対策工の種類（P66）を参照してください。

サンドコンパクションパイル工法は，軟弱地盤に締固めた砂杭を造って軟弱層を締固める工法で，化学反応を利用して地盤を**固結する工法**に該当しません。なお，**高圧噴射撹拌工法**は，地中で液体の固化材料等を高速で噴射し，土と混合撹拌して固結体を造る工法です。

解答 (4)

問題38

軟弱地盤対策の固結工法として次のうち，**適切なもの**はどれか。

(1) サンドマット工法
(2) 深層混合処理工法
(3) サンドドレーン工法
(4) 軽量盛土工法

解 説

2．軟弱地盤対策工の種類（P66）を参照してください。

(1) **サンドマット工法**は，**表層処理工法**に該当します。
(2) **深層混合処理工法**が**固結工法**に該当します。
(3) **サンドドレーン工法**は，**バーチカルドレーン工法**に該当します。
(4) **軽量盛土工法**は，**荷重軽減工法**に該当します。

解答 (2)

問題39

軟弱地盤対策の工法と主として期待される効果に関する組合せとして次のうち，**適切でないもの**はどれか。

（軟弱地盤対策工法）　　　　（主として期待される効果）

(1)　サンドドレーン工法 ―――― 圧密沈下の促進

(2)　石灰パイル工法 ―――― 全沈下量の減少

(3)　掘削置換工法 ―――― 地盤の安定性確保

(4)　凍結工法 ―――― 液状化の防止

解 説

３．軟弱地盤対策工の工法と期待される効果（P69）を参照してください。

(1)　**バーチカルドレーン工法**の一種である**サンドドレーン工法**の主効果は，**圧密沈下の促進**です。

(2)　**石灰パイル工法**の主効果は，**全沈下量の減少**です。

(3)　**掘削置換工法**は，**滑り抵抗を増加**して地盤の安定を図ります。

(4)　**凍結工法**の主な効果は，**全沈下量の減少**及び**強度増加の促進**です。

解答　(4)

問題40　出る　出る

軟弱地盤対策工法として，圧密沈下促進の効果が最も高い工法として次のうち，**適切なもの**はどれか。

(1)　軽量盛土工法

(2)　バイブロフローテーション工法

(3)　押え盛土工法

(4)　サンドドレーン工法

解 説

３．軟弱地盤対策工の工法と期待される効果（P69）を参照してください。

(1)　軽量盛土工法は，**全沈下量の減少**，**強度低下の抑制**に効果的です。

(2)　**バイブロフローテーション工法**は，**液状化の防止**に効果的です。

(3)　押え盛土工法は，**滑り抵抗の増加**に効果的です。

(4)　**サンドドレーン工法**が**圧密沈下の促進**に最も効果的です。

解答　(4)

8 測　　量

要点の整理と理解

1．測量の種類と使用する器具

代表的な測量

測量の種類	主な使用器具	概　要
距離測量	鋼巻尺（スチールテープ）	鋼巻尺（スチールテープ）を用いて２点間の距離を測る測量。
角測量	トランシット	トランシットを用いて水平角を測る測量。単測法，反復法，トラバース測量（多角測量）などの方法がある。
水準測量	レベル，箱尺（標尺，スタッフ）	地点の標高または高低差（水準差）を求める測量。直接２点間の高低差を求める直接法と，鉛直角と水平距離から計算で求める間接法がある。
平板測量	平板，アリダード	地表面の状態を一定の縮尺で，現地において平板上に作図方法。
GNSS 測量	GNSS アンテナ，GNSS 受信機	衛星からの電波を専用アンテナで受信し，そのアンテナのある位置を決定するシステムを用いた測量。

試験によく出る問題

水準測量に関する次の記述のうち，**適切でないもの**はどれか。

(1)　一つの水準路線についての水準測量は，往復測定とする。

(2)　レベルの据付回数は，偶数回とし，出発点に立てた標尺を到着点に立て，標尺の零目盛誤差を消去する。

(3)　標尺は，前後にゆっくり動かし最小の値を読み取らせる。
(4)　後視とは，標高を求めようとする点（未知点）を視準することで，野帳にはFSと略記する。

解説

(1)　一つの水準路線についての水準測量は，系統的誤差を避けるため，**往復測定**とします。
(2)　**標尺の零目盛誤差**とは，標尺底面の摩耗等により，零目盛の位置が正しくないために生じる誤差です。レベルの据付回数を**偶数回**とし，出発点に立てた標尺を到着点に立てることで消去できます。
(3)　標尺（スタッフ）は，**前後に**ゆっくり動かして**最小の値**を読み取ることで垂直となります。
(4)　**前視**(ぜんし)は，高さを求めようとする点（**未知点**）に設置した標尺の読みをいい，**後視**(こうし)は，**既知点**に設置した標尺の読みをいいます。前視，後視はそれぞれFS，BSと略記されます。記述内容は，前視（FS）の内容です。

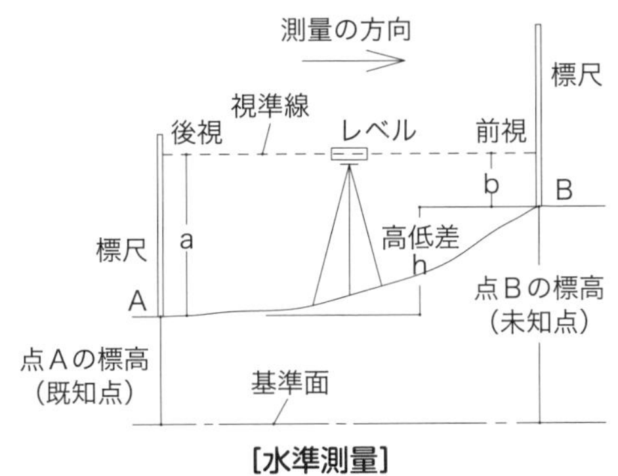

［水準測量］

解答　(4)

問題42　出る

水準測量の留意点に関する次の記述のうち，**適切でないもの**はどれか。
(1)　レベルは，堅固な地盤に立て，水平になるように調整する。
(2)　レベルは，後視と前視の距離をほぼ等しくなるように設置する。
(3)　スタッフを前後にゆっくりと傾斜させるように動かし，最大の値を読み取る。

⑷　スタッフは２本使用し，一連の測量の最初と最終の地点に同一のスタッフを立てる。

解説

⑴　堅固な地盤に，レベルが**水平**になるように調整して立てます。
⑵　レベルは，後視と前視の距離が**ほぼ等しくなる**ように，中間に設置します。
⑶　**問題41** の 解説 ⑶を参照してください。**最小の値**を読み取ります。
⑷　**問題41** の 解説 ⑵を参照してください。

解答　⑶

問題43　出る

測量に関する次の記述のうち，**適切でないもの**はどれか。
⑴　基準点測量は，既知点に基づいて，新たな基準点の位置や標高を定める測量である。
⑵　水平角の観測は，器械的な誤差を防止するために，正位のみの観測を行う。
⑶　電子基準点には，GNSS 衛星からの電波を連続的に受信するアンテナが取り付けられている。
⑷　公共測量に用いる平面直角座標系のＸ軸は，真北に向かう方向を正とする。

解説

⑴　**基準点測量**は，既設の基準点（三角点・電子基準点等）を基に，新しい基準点を設置して新点の位置や標高を求めるものです。
⑵　器械的な誤差を防止するためには，**正位，反位の往復観測**を行います。
⑶　電子基準点は，全国に設置された **GNSS 連続観測点**です。外観は高さ５ｍ程度のステンレス製のピラー（柱）で，**上部に GNSS 衛星からの電波を受信するアンテナ**，内部には受信機と通信用機器等が格納されています。

(4) 座標系の**X軸**は，座標系原点において**子午線に一致する軸**とし，**真北に向かう値を正**とします。また，座標系のY軸は，座標系原点において座標系のX軸に直交する軸とし，真東に向かう値を正とします。

解答 (2)

問題44

GNSS測量を利用した測量に関する次の記述のうち，**適切でないもの**はどれか。

(1) GNSS測量は，位置情報（三次元座標）を計測できる。
(2) GNSS測量は，観測点間の視通ができなくても計測できる。
(3) GNSS測量は，夜間には計測できない。
(4) GNSS測量は，人工衛星から発信される電波を利用した計測システムである。

解説

(1) **3次元測位が可能**です。
(2) 観測点間の**視通（しつう）を必要としません**。
(3) 全地球的な範囲で**24時間の測位が可能**です。
(4) 電波を利用する**衛星測量**です。

GNSS測量の特徴
① 3次元測位が可能である。 ② 全地球的な範囲で24時間の測位が可能である。 ③ 観測点間の視通（見通し）を必要としない。 ④ 電波を利用する衛星測量である。 ⑤ 高精度の測量ができ，観測が容易である。 ⑥ 観測によって求められる高さは，準拠楕円体上の高さである。

解答 (3)

問題45 出る 出る 出る

GNSS 測量に関する次の記述のうち，**適切なもの**はどれか。

(1) 平面座標（２次元測位）しか測位できない。

(2) 夜間でも測位が可能である。

(3) 地下空間やトンネル内でも測位できる。

(4) 観測点間の視通が必要である。

解 説

(1) **問題44** の 解 説 (1)を参照してください。
立体座標（３次元測位）の測位ができます。

(2) **問題44** の 解 説 (3)を参照してください。

(3) 衛星が直測できないため，地下空間やトンネル内では**測位できません**。

(4) **問題44** の 解 説 (2)を参照してください。
衛星が直視できれば，観測点間の**視通は不要**です。

従来の GPS 測量が，GNSS 測量に名称が変更されました。

解答 (2)

問題46

測量の種類と使用する器具の組合せとして次のうち，**適切でないもの**はどれか。

（測量の種類）　　　　（使用器具）

(1) 平板測量 ――――― アリダード

(2) 水準測量 ――――― レベル

(3) GNSS 測量 ――――― 箱尺

(4) 角測量 ――――― トランシット

解 説

1．測量の種類と使用する器具（P74）を参照してください。

(1) **平板測量**には，平板，**アリダード**などを使用します。アリダードは，方向を観測する装置と図面上に描くための定規縁をもつ器具です。

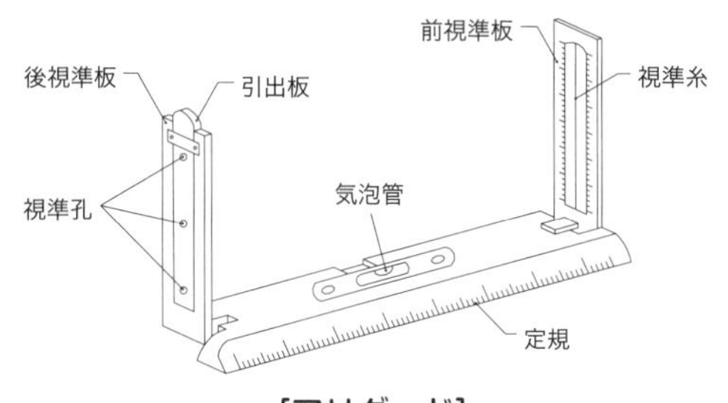

[アリダード]

(2) **水準測量**には，**レベル**，箱尺（標尺，スタッフ）を使用します。

(3) **GNSS 測量**には，**GNSS アンテナ，GNSS 受信機**を使用します。

(4) **角測量**には，**トランシット**を使用します。

解答 (3)

問題47

測量の種類と使用器具に関する次の組合せのうち，**適切なもの**はどれか。

（測量の種類）　　（使用器具）

(1) 水準測量 ―――― 箱尺
(2) 平板測量 ―――― トランシット
(3) GNSS 測量 ―――― トータルステーション
(4) 角測量 ―――― レベル

解 説

(1) 問題46 の 解 説 (2)を参照してください。
(2) 問題46 の 解 説 (1)を参照してください。
(3) 問題46 の 解 説 (3)を参照してください。
(4) 問題46 の 解 説 (4)を参照してください。

解答 (1)

9 施工計画・工程管理 第二次検定 筆記問題 対策 併用

要点の整理と理解

1. 現場の事前調査

現場の事前調査で代表的な内容
① 地形，地質，土質，地下水の調査（設計図書との照合を含む）。
② 工事を行う地域の水文気象の調査。
③ 施工方法，仮設の規模，施工機械の選択。
④ 動力源，工事用水の手配。
⑤ 材料の供給源と価格および運搬経路の確認。
⑥ 工事によって支障を生ずる問題点。
⑦ 附帯工事，別途工事，隣接工事などの調査。
⑧ 騒音，振動等に関する環境保全基準。
⑨ 発生土砂，産業廃棄物の処分条件。
⑩ 文化財，地下埋設物の有無。

2. 仮設備の計画

工事の目的物を施工するために必要な**仮設備**は，**工事の完成後には撤去**されますが，計画する上で考慮すべき内容は次のとおりです。

仮設備を計画する上で考慮すべき主な内容
① 設備規模に過不足が生じないようにする。
② 経済性を考慮して，できる限り繰り返し使用が可能なものとする。
③ 安全率は本工事と同様でなくてもよいが，構造計算を行って安全性を確認する。
④ 移設や撤去が容易な構造とする。
⑤ 工事に伴う公害防止対策を十分に考慮する。

3. 施工計画の作成

施工計画の作成における主な留意事項
① 発注者の要求品質を確保するとともに，安全を最優先した計画とする。 ② 工事内容の把握のため，契約書，設計図面及び仕様書の内容を検討し，工事数量の確認を行う。 ② 過去の実績や経験のみで満足せず，施工計画の決定には常に改良を試み，新しい工法・技術を採用する心構えが必要である。 ③ 施工計画の検討は，現場主任者だけでなく，全社的な高度の技術水準で行う。 ④ １つの計画だけでなく，いくつかの代案を作成して，経済性，施工性，安全性等の長所・短所を比較検討して決定する。 ⑤ 契約工期が施工者にとって必ずしも最適な工期とは限らず，契約工期の範囲内で，さらに経済的な工程を探す必要がある。 ⑥ 設計図書と現地条件に相違があった場合は，発注者と打合せ，重要項目は文書で確認してから，発注者に提出する。

4. 代表的な工程表

代表的な工程表

ネットワーク式工程表	バーチャート式工程表
掘削工 5日 ⓪→① 鉄筋工 6日 ⓪→② ①→② (点線) コンクリート工 3日 ②→③	実績 予定 掘削工 鉄筋工 コンクリート工 日数
各作業の時間的内容，及び先行後行，並行作業間の時間的関連をわかり易く表現するために考案されたもので，矢線（アロー）を用いて工事の流れ（作業経路）を表現する手法。	工事を構成する各作業を縦軸に列記し，横軸に工期をとって，作業ごとに所要日数を示す。図表の作成が容易で，短期工事や単純工事に向いている。

ガントチャート式工程表	工程管理曲線（バナナ曲線）
実績 予定 掘削工 鉄筋工 コンクリート工 0　50　100 出来高比率（%）	（工事完了） 100 80 60 40 20 0 （出来高比率）[%] 工程 上方限界 許容範囲 下方限界 0　20　40　60　80　100 （工事着工）　時間経過率 [%]
縦軸に工種や作業名を施工順序に従って列記し，横軸に工事の出来高比率（%）を表したもので，各作業の達成率がわかる。	工事開始時点を0（ゼロ）とし，終了時点（工期）を100％として，時間（日数）経過率に応じたその工事の出来高比率（%）をプロットするもの。

試験によく出る問題

施工計画作成のために行う現場の事前調査として次のうち，**適切でないもの**はどれか。

(1)　文化財，地下埋設物の有無
(2)　工事を行う地域の水文気象
(3)　騒音，振動等に関する環境保全基準
(4)　発注者の取得した工事用地の取得価格

解　説

1．現場の事前調査（P80）を参照してください。

(1)　**文化財の有無**や**地下埋設物の有無**は，掘削作業に影響を及ぼすので事前調査が必要です。

(2) 施工に関連する**水文気象**（水の循環環境を中心とした気象）は，施工計画に大きな影響を与えるため事前調査が必要です。
(3) 騒音，振動などに関する**環境保全基準**は事前調査が必要です。
(4) 発注者の取得した**工事用地の取得価格**は，施工計画に大きな影響を与えないため，**事前調査は不要**です。

解答 (4)

問題49

施工計画の作成に関する次の記述のうち，**適切でないもの**はどれか。
(1) 発注者の要求品質を確保するとともに，安全を最優先した施工計画とする。
(2) 過去の実績や経験のみで満足せず，常に改良を試み，新しい工法や新技術を検討して，現場に最適な施工計画を作成する。
(3) 施工計画は，設計図書と現地条件に相違があっても設計図書に基づき作成する。
(4) 施工計画は，いくつかの代案を作成して，経済性，施工性，安全性等の長所・短所を比較検討して決定する。

解 説

3．施工計画の作成（P81）を参照してください。
(1) 発注者が要求する**品質を確保**するとともに，**安全を最優先した**施工計画とすることが重要です。
(2) 過去の**実績や経験のみで満足せず**，施工計画の決定には常に改良を試み，**新しい工法・技術を採用**する心構えが必要です。
(3) 設計図書と現地条件に相違があった場合は，発注者と打合せを行って，**重要な項目は，文書で確認**してから発注者に施工計画書を提出します。
(4) 1つの計画だけでなく，いくつかの**代案を作成**して，経済性，施工性，安全性等の**長所・短所を比較検討**して決定します。

解答 (3)

問題50 出る 出る

工事の施工計画と積算に関する次の記述のうち，**適切なもの**はどれか。

⑴　発注者が公表している標準歩掛を用いて積算した見積額で入札し，工事を受注した場合，標準歩掛で想定されている工法を用いて施工しなければならない。

⑵　契約工期は，施工者にとっても最適工期であるので，これに合わせた工程に基づく施工が常に最も経済的となる。

⑶　積上げ積算方式は，施工量１単位当たりの工事単価に施工数量を乗じて積算する方法である。

⑷　施工計画の決定には，これまでの経験を重視し，新しい工法，新しい技術の採用は避けるべきである。

解 説

⑴　入札時の工法が最適なものであるとは限らないので，契約内容の範囲内で**さらに経済的な工法を探す**ことも重要です。

⑵　契約工期が施工者にとって必ずしも**最適な工期とは限らず**，契約工期の範囲内で，**さらに経済的な工程を探す**必要がある。

⑶　施工量１単位当たりの**工事単価**に**施工数量**を乗じて積算する方法を**積上げ積算方式**といいます。

⑷　問題49 の 解 説 ⑵を参照してください。

解答　⑶

問題51 出る 出る

仮設備の施工計画に関する次の記述のうち，**適切なもの**はどれか。

⑴　仮設備とは，工事目的物の構築に必要な設備のうち，工事完成後も存置されるものをいう。

⑵　仮設備の材料は，経済性を考慮し，できる限り繰り返し使用が可能であるものを使用する。

⑶　仮設備の構成や諸元は，施工者に任されている場合が多く，これを指定仮設という。

(4)　設置期間が短い仮設備であっても，必ず本構造物と同じ安全率を用いて設計する。

解 説

2．仮設備の計画（P80）を参照してください。

(1)　**仮設備**とは，工事目的物の構築に必要な設備のうち，**工事完成後に撤去される**ものをいいます。

(2)　仮設備の**材料**は，経済性を考慮して，できる限り**繰り返し使用が可能**な材料とします。

(3)　施工者に任されている仮設備を**任意仮設**といいます。

(4)　仮設備の安全率は**本工事と同様でなくてもよい**ですが，構造計算を行って安全性を確認する必要があります。

解答　(2)

問題52

工程管理におけるバーチャート式工程表に関する次の記述のうち，**適切でないもの**はどれか。

(1)　図表の作成が容易で，短期工事や単純工事に向いている。

(2)　作業の手順が曖昧であるが，作業の進行の度合いは明瞭である。

(3)　工事を構成する各作業を縦軸に列記し，横軸に工期をとって，作業ごとに所要日数を示す。

(4)　各作業日数の把握は容易であるが，工期に影響する作業は不明である。

解 説

(1)　**作成が容易**で，短期工事や単純工事に向いています。

(2)　作業の進行の度合いなど，工事全体の**相互関係が分かりにくい**です。

(3)　**4．代表的な工程表**（P81）を参照してください。

(4)　クリティカルパスが分からないので，工期に影響する作業が不明で**重点管理がしにくい**です。

解答　(2)

バーチャート式工程表とネットワーク式工程表の比較

バーチャート式工程表	ネットワーク式工程表
作成が容易である。	作成が難しい。
全体の出来高が分かりやすい。	全体の出来高が分かりにくい。
クリティカルパスが分からない。 （重点管理がしにくい。）	クリティカルパスが明確である。 （重点管理がしやすい。）
工事全体の相互関係が分かりにくい。	工事全体の相互関係が分かる。

下図に示すネットワーク式工程表の工事の**所要日数**は，次のうちどれか。

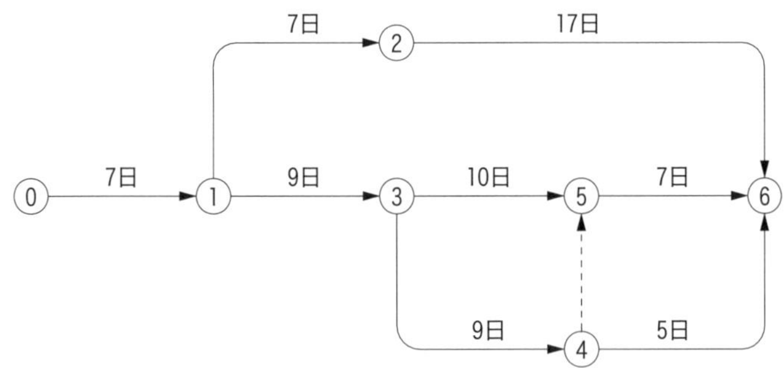

(1) 33 日
(2) 32 日
(3) 31 日
(4) 30 日

解説

⓪から⑥に至るすべての経路を求め，その所要日数を求めます。

経路 1 ：⓪→①→②→⑥　　日数：7 日＋ 7 日＋ 17 日＝ 31 日
経路 2 ：⓪→①→③→⑤→⑥　　日数：7 日＋ 9 日＋ 10 日＋ 7 日＝ 33 日
経路 3 ：⓪→①→③→④→⑤→⑥　　日数：7 日＋ 9 日＋ 9 日＋ 7 日＝ 32 日
経路 4 ：⓪→①→③→④→⑥　　日数：7 日＋ 9 日＋ 9 日＋ 5 日＝ 30 日

以上のことから，所要日数の最も大きい**経路 2** がクリティカルパスとなり，**所要日数**は **33 日**です。

解答　(1)

問題54 出る 出る 出る

下図に示す，建設工事のネットワーク式工程表の説明として次のうち，**適切なもの**はどれか。

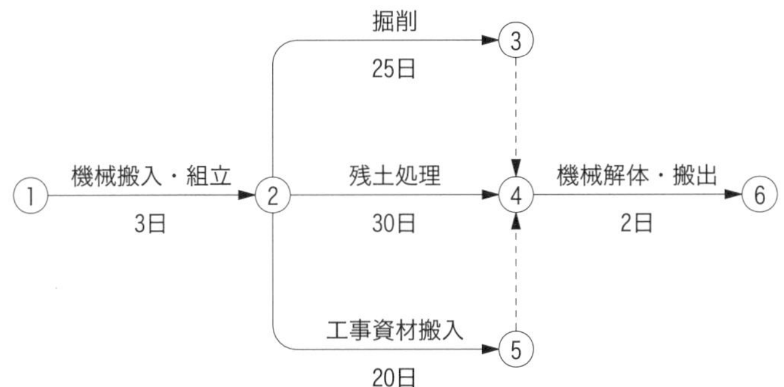

(1)　この工事のクリティカルパスの所要日数は，35 日である。

(2)　残土処理作業は，工期には直接影響しない。

(3)　機械解体・搬出作業の開始日は，工事開始から 23 日目である。

(4)　残土処理作業と工事資材搬入作業は，必ず同じ日に完了する。

解 説

(1)　**問題53** の 解 説 を参照してください。
　クリティカルパスは①→②→④→⑥で，所要日数は 3 日＋ 30 日＋ 2 日＝ **35 日**です。

(2)　**残土処理**作業は**クリティカルパス上**にあり，工期に直接影響します。

(3)　①から④に至る経路で**最も大きい所要日数**は 3 日＋ 30 日＝ **33 日**で，この日数が機械解体・搬出作業の開始日となります。

(4)　残土処理作業の完了日は 3 日＋ 30 日＝ **33 日**，工事資材搬入作業の完了日は 3 日＋ 20 日＝ **23 日**となります。

解答　(1)

10 品質管理・公共工事の施工管理

第二次検定
筆記問題 対策 併用

要点の整理と理解

1. 品質特性と試験名

品質管理とは，完成したものが要求されている品質であるかどうかを，各種の試験・検査によって調べ，品質の**粗悪なものが施工された場合**は，**工事を一時中断し**原因究明を行って，不良品の措置と不良品発生の予防を行うことである。また，品質を満足するためには何を管理の対象項目とするかを決定する必要があり，これを**品質特性**といいます。

理解しよう！

品質特性と試験名

工　種	対　象	品質特性	試験名
土工・路盤工	盛土・路盤の材料	最大乾燥密度・最適含水比	突固めによる土の締固め試験
		粒度	粒度試験（ふるい分析，沈降分析）
		自然含水比	含水比試験
	盛土・路盤の支持力	締固め度	密度試験
		地盤係数（支持力値）	平板載荷試験
		現場ＣＢＲ	ＣＢＲ試験
コンクリート工	骨材	粒度	ふるい分け試験
		表面水量	表面水率試験
	コンクリート	スランプ	スランプ試験
		空気量	空気量試験
		混合割合	洗い分析試験
アスファルト舗装工	アスファルト	針入度	針入度試験
	舗設現場	安定度	マーシャル安定度試験
		舗装厚さ	コア採取による測定

2. 品質管理に用いる主な図表

ヒストグラム	管理図

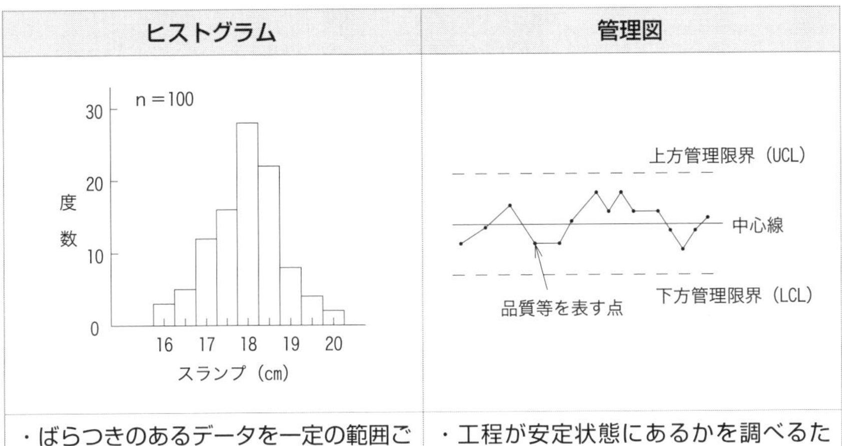

ヒストグラム	管理図
・ばらつきのあるデータを一定の範囲ごとに区分し，区分ごとに発生頻度を棒グラフに表したもの。 ・データ分布の形をみたり，規格値との関係をみたりする場合に用いる。	・工程が安定状態にあるかを調べるため，または工程を安定状態に保持するために用いる図。 ・折れ線グラフの中に異常を知るための中心線や管理限界線を記入する。

パレート図	散布図

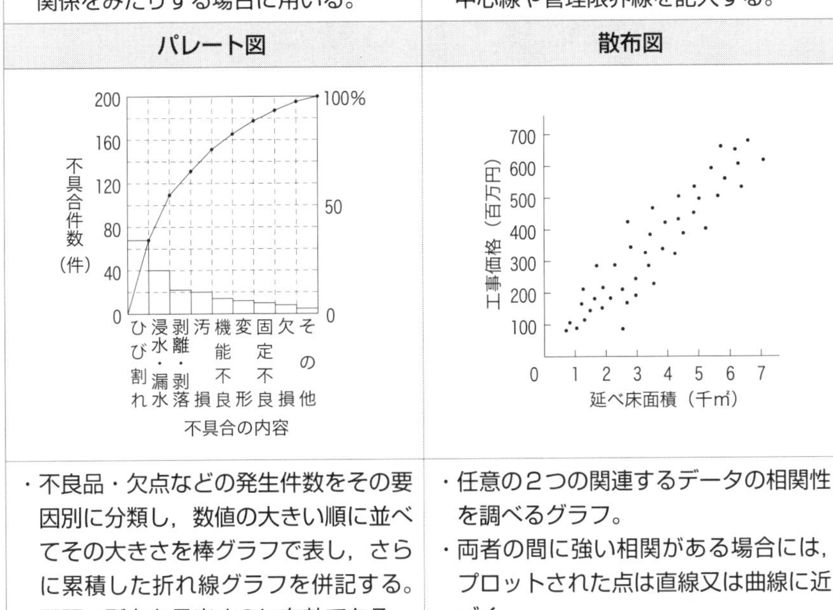

パレート図	散布図
・不良品・欠点などの発生件数をその要因別に分類し，数値の大きい順に並べてその大きさを棒グラフで表し，さらに累積した折れ線グラフを併記する。問題の所在を見出すのに有効である。	・任意の2つの関連するデータの相関性を調べるグラフ。 ・両者の間に強い相関がある場合には，プロットされた点は直線又は曲線に近づく。

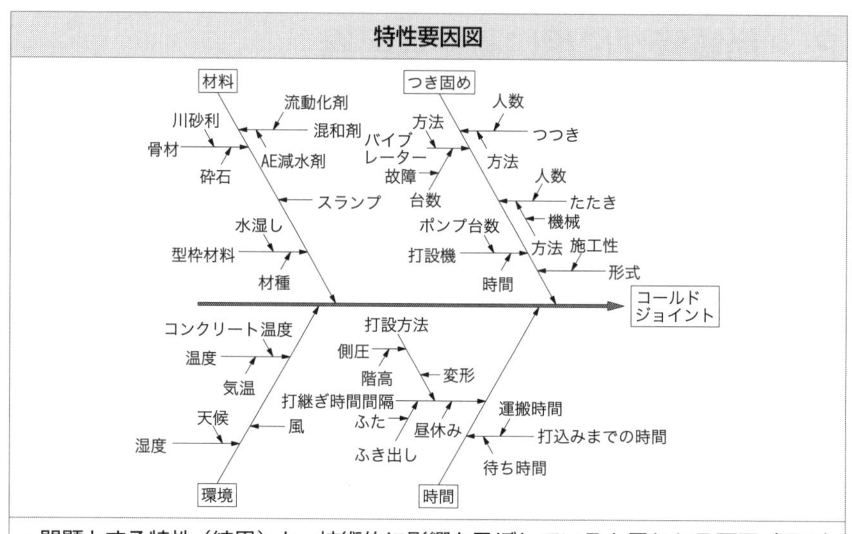

・問題とする特性（結果）と，技術的に影響を及ぼしていると思われる要因（原因）との関係を整理して，魚の骨のような形に体系的にまとめたもの。

試験によく出る問題

品質管理における品質特性と試験または測定方法の組合せとして次のうち，**適切でないもの**はどれか。

（品質特性）	（試験または測定方法）
(1)　盛土材料の最大乾燥密度	突固めによる土の締固め試験
(2)　舗装厚さ	コア採取による測定
(3)　路盤材料の粒度	ふるい分け試験
(4)　路盤支持力	現場密度の測定

解説

1．品質特性と試験名（P88）を参照してください。

(1)　盛土材料の**最大乾燥密度**を求める場合の試験には，突固めによる土の**締固め試験**が用いられます。

(2) 舗装の**厚さ**を求める場合には，**コア採取**によって厚さを測定します。
(3) 材料の**粒度**を求める場合には，**ふるい分け試験**を行います。
(4) 路盤の**支持力**を求める場合には，**平板載荷試験やCBR試験**が用いられます。なお，**現場密度の測定**は，路盤の**締固め度**を求める試験です。

解答 (4)

品質管理における品質特性とその試験方法に関する組合せとして次のうち，**適切でないもの**はどれか。

	(品質特性)	(試験方法)
(1)	盛土材料の粒度	ふるい分け試験
(2)	盛土材料の最大乾燥密度	土の締固め試験
(3)	路盤材料の含水比	含水比試験
(4)	路盤の締固め度	一軸圧縮試験

解 説

1．**品質特性と試験名**（P88）を参照してください。
(1) **問題55** の 解 説 (3)を参照してください。
(2) **問題55** の 解 説 (1)を参照してください。
(3) 路盤材料の**含水比**を求める場合の試験は，**含水比試験**です。
(4) 路盤の**締固め度**を求める場合には，**密度試験**が用いられます。

なお，**一軸圧縮試験**は，**粘性土の支持力**（せん断強さ）の算定に用いられます。

解答 (4)

問題57 出る 出る

品質管理のデータ整理に用いられる図表として次のうち，**適切なもの**はどれか。

(1) $\overline{X}$—R 管理図（平均値と範囲）

⑵　工程管理曲線
⑶　ガントチャート
⑷　ネットワーク式

解説

2．品質管理に用いる主な図表（P89）を参照してください。

⑵，⑶，⑷は工程管理で用いられ，品質管理のデータ整理に用いられる図表は⑴です。

解答　⑴

問題58

公共工事の施工管理に従事する技術者に関する次の記述のうち，**適切でないもの**はどれか。

⑴　当初の施工計画では，仕様より高い品質の材料としたが，納期が間に合わないため，仕様どおりの材料品質にして施工計画書を再提出した。
⑵　発注仕様書の現場条件が現地と異なるため，現地の状況に合わせた仕様書と請負金額に変更してもらえるよう発注者に協議を申し出た。
⑶　発注者が指定する材料では入手に時間がかかり，工期が遅れると予想されたため社内で検討し，品質が同等な他の材料に変更した。
⑷　現場施工で得られた有用な学術的知見について，社内の有識者と協力して論文を作成し，学会で発表した。

解説

⑴　材料品質など重要な項目については，**施工計画書を再提出**します。
⑵　発注仕様書の現場条件が現地と異なる場合は，施工計画の変更などの**協議を発注者に提案**します。
⑶　品質が同等な他の材料に変更する場合は，工事を一時中断した上で，**発注者と協議**して了承を得ます。

(4) **新しい工法・技術を採用**する心構えとして，現場施工で得られた有用な学術的知見については，学会などで発表する方法があります。

解答 (3)

建設工事現場における騒音・振動対策に関する次の記述のうち，**適切でないもの**はどれか。

(1) 建設機械の走行路は，平たんに整備して騒音，振動の発生を少なくする。

(2) 建設機械は，長時間使用していると結合部の緩みや潤滑剤の不足等により騒音，振動が増加することがあるので注意する。

(3) 外部電源による電動機を動力とする建設機械を使う場合，商用電源よりも発動機電源を使った方が騒音・振動は小さくなる。

(4) 掘削積込み機から直接トラックなどに積み込む場合，落下高さを低くして，放出もていねいに行う。

解 説

(1) 凸凹のある走行路は騒音や振動の発生が多くなるので，**走行路は平たんに整備**します。

(2) **長時間使用した建設機械**は，異常音などの**騒音，振動が増加**する場合があるので常に注意します。

(3) 外部電源は，商用電源よりも**発動機電源**を使用した方が**騒音・振動が大きく**なります。

(4) 掘削した土砂などを直接トラックなどに積み込む場合，**落下高さを低くし，丁寧に積込みを行う**ことで騒音や振動の発生を少なくすることができます。

解答 (3)

11 建設機械原動機（エンジン）

要点の整理と理解

1．ディーゼルエンジンとガソリンエンジンの比較

必ず覚えよう！

ディーゼルエンジンとガソリンエンジンの比較

項目＼エンジン	ディーゼルエンジン	ガソリンエンジン
使用燃料	軽油またはA重油	ガソリン
作動サイクル	複合サイクル（サバテサイクル）	定容サイクル（オットーサイクル）
点火方式	圧縮による自己着火（燃料噴射装置）	電気火花点火（電気点火装置）
エンジン回転速度	1,500〜3,000 min^{-1}（小）	2,000〜6,000 min^{-1}（大）
圧縮比	14〜24（大）	6〜10（小）
熱効率	30〜45％（大）	20〜30％（小）
燃料消費率	200〜300 g/kW（小）	270〜400 g/kW（大）
出力当たりのエンジン質量	大	小
出力当たりの価格	大	小
トルクライズ（粘り強さ）	大	小
運転経費	小	大
火災に対する危険度	小	大

ディーゼルエンジンの方が，
「回転速度が小さく，圧縮比が大きい。」
をポイントに覚えると良いです。

2. 建設機械用ディーゼルエンジンの構造

建設機械用ディーゼルエンジンの主な装置と概要

装置	概要
本体	・中・大型エンジンの燃焼室形式には，直接噴射式が多く採用されている。
吸排気装置	・燃料を燃焼させるための空気（酸素）を吸収し，燃焼したガスをシリンダから排出する装置。 ・過給機は，空気を圧縮してシリンダ容積の30～100％増しの空気を送り，出力を増加させる。 ・過給機には，排気タービン過給機が多く採用されている。
燃料装置	・燃料装置のガバナは，必要出力に応じて燃料噴射量を自動的に調整し，回転速度を一定に保つ。 ・ガバナには，**オールスピードガバナ**が多く採用されている。トラックなどでは，**ミニマムマキシマムスピードガバナ**が使われる。
冷却装置	・燃焼で高温になった各部を冷やす装置。 ・冷却装置は，水冷式が多く採用されている。
潤滑装置	・エンジン各部に潤滑油を送って循環させる装置。 ・潤滑装置には，エンジン各部の回転摺動（しゅうどう）する部分の潤滑（じゅんかつ），冷却及び異物除去の働きがある。

3．建設機械用エンジンの運転・取扱い

エンジンの状況に応じた主な注意事項

状　況		注意事項
始動時		・エンジンの始動モータは 30 秒以上続けて回さない。 ・始動を繰返す場合は，２分間程度の間隔をあける。
運転中		・始動直後から高速運転を行わない。 ・エンジン始動後は，十分なアイドリングを行って各部に潤滑油を回す。
運転中		・運転中の潤滑油圧力の目安は，200～400 kPa（２～４ kgf/cm^2）である。100 kPa（１ kgf/cm^2）以下の場合は，直ちにエンジンを停止し原因を調査する。 ・エンジンの冷却水温度が適正値に上昇するまで，暖気運転を行う。 ・運転中のダイナモの充電状況は，電流計または充電ランプで確認する。
	冬季	・冷却液は最低気温に対応する濃度の防錆剤入り不凍液（ロングライフクーラント）を使用する。 ・SAE 粘度グレードの小さい潤滑油を使用する。 ・燃料や潤滑油のタンク，フィルタなどの水分をこまめに抜き取るようにする。 ・必要に応じて，ラジエータ，ボンネット，その他にカバーをして保温する。 ・バッテリの温度低下による容量低下，凍結に注意する。液比重を 1.25 以上に保つとともに，保温，完全充電を心掛ける。
	夏季	・SAE 粘度グレードの大きい潤滑油を使用する。 ・冷却水の過熱と蒸発による水量の減少に注意する。
	土埃（つちぼこり）	・エアクリーナの点検をこまめに行い，エレメントを清掃する。 ・エアクリーナの吸気取入口を高くし，清浄な空気を得るようにする。
停　止		・作業終了後５分間程度は，冷却運転させてからエンジンを止める。 ・エンジン停止後は，燃料タンクのコックを開いた状態で，バッテリスイッチを切る。 ・潤滑油の交換は，エンジンが暖まっている状態で行う。

試験によく出る問題

問題60 出る 出る 出る

ディーゼルエンジンとガソリンエンジンの特性比較として次のうち，**適切でないもの**はどれか。

	（項目）	（ディーゼルエンジン）	（ガソリンエンジン）
(1)	圧縮比	低い	高い
(2)	熱効率	高い	低い
(3)	回転速度	低い	高い
(4)	出力当たりのエンジン質量	大きい	小さい

解 説

1．ディーゼルエンジンとガソリンエンジンの比較（P94）を参照してください。

ディーゼルエンジンは，ガソリンエンジンに比べて，**回転速度**が**低く**，**圧縮比**が**高い**ので，熱効率が高く燃料消費率が低いです。したがって，(1)が適切でないものです。

解答 (1)

問題61

建設機械用ディーゼルエンジンに関する次の記述のうち，**適切でないもの**はどれか。

(1) 負荷変動の激しい重負荷のもとでも運転できる。
(2) ガソリンエンジンに比べて耐久性がある。
(3) ガソリンエンジンより出力当たりのエンジン質量が小さい。
(4) ガソリンエンジンより熱効率が高い。

解 説

(1)，(2) 建設機械用ディーゼルエンジンは，負荷変動の激しい環境での運転であっても**十分な耐久性**があります。また，エンジンは，左右前後に **40 度程度**

傾斜しても運転に耐える構造となっています。

⑶ **1．ディーゼルエンジンとガソリンエンジンの比較**（P94）を参照してください。ガソリンエンジンより**出力当たりのエンジン質量**が**大きい**です。

⑷ **熱効率**は，ガソリンエンジンより**高い**です。

解答 ⑶

建設機械用ディーゼルエンジンに関する次の記述のうち，**適切なもの**はどれか。

⑴ 回転速度は，自動車用ディーゼルエンジンと変わらない。

⑵ トルクライズ（粘り強さ）の値が小さいほどエンストしにくい。

⑶ 熱効率は，ガソリンエンジンと比べて低い。

⑷ 出力当たりのエンジン質量は，ガソリンエンジンと比べて大きい。

解 説

⑴ **回転速度**は，自動車用ディーゼルエンジンに比べて**低い**です。

⑵ 建設機械用ディーゼルエンジンは，**トルクライズ（粘り強さ）**の値が**大きく**エンストしにくいです。

⑶ **問題61** の 解 説 ⑷を参照してください。**熱効率**は，ガソリンエンジンに比べて**高い**です。

⑷ **問題61** の 解 説 ⑶を参照してください。

解答 ⑷

建設機械用ディーゼルエンジンの構造に関する次の記述のうち，**適切でないもの**はどれか。

⑴ 中・大型エンジンの燃焼室形式には，直接噴射式が多く採用されている。

⑵ 燃料装置のガバナには，オールスピードガバナが多く採用されている。

⑶ 過給機には，排気タービン過給機が多く採用されている。

⑷ 冷却装置は，空冷式が多く採用されている。

解 説

2．建設機械用ディーゼルエンジンの構造（P95）を参照してください。

(1) ディーゼルエンジンには，シリンダヘッドに副室のある**予燃焼室式**や過流室式と，副室のない**直接噴射式**があります。中・大型エンジンでは，構造が簡単で始動性や燃費のよい**直接噴射式**が多く採用されています。

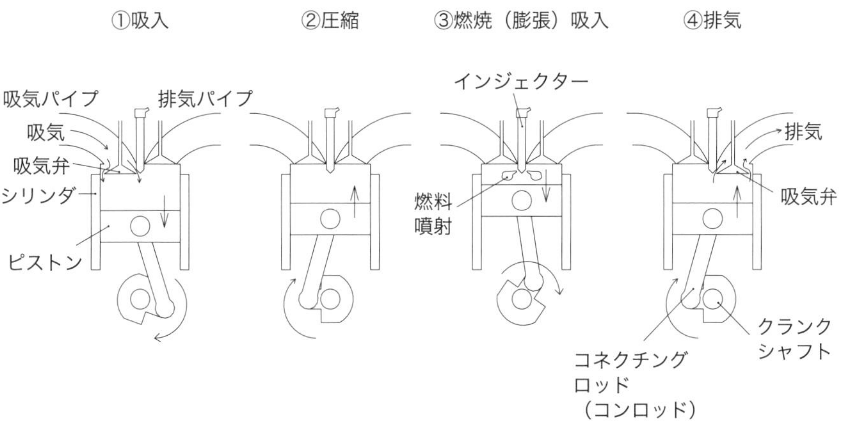

[ディーゼルエンジンの作動原理（直接噴射式）]

(2) 燃料の噴射量を，出力に応じて自動的に調整する装置が**ガバナ**です。建設機械では**オールスピードガバナ**が多く採用されています。

ガバナの種類	
オール スピードガバナ	・エンジン低速時のアイドリング回転速度から最高回転速度まで，速度を一定に保つ調整機能がある。 ・建設機械で使われる。
ミニマムマキシマムスピードガバナ	・エンジンの最高回転速度を超えないようにする高速制御と，円滑なアイドリングを行わせる低速制御の両方の調整機能がある。 ・トラックで使われる。

⑶　**過給機**は，空気（給気）を圧縮してシリンダ容積の 30〜100 %増しの空気を送り，それに見合う量の燃料を燃焼させて出力を増加させる装置です。熱効率のよい**排気タービン過給機**が多く採用されています。

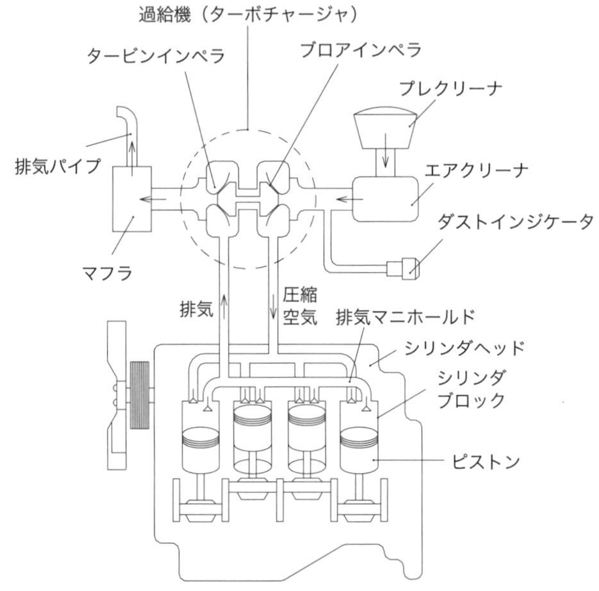

［吸排気系統（ターボチャージャ付）］

⑷　**冷却装置**は，燃焼で高温になった各部を冷やす装置で，空冷式と水冷式があります。建設機械では**水冷式**が多く採用されています。

解答　⑷

問題64 出る 出る 出る

建設機械用エンジンの取扱いに関する次の記述のうち，**適切でないもの**はどれか。

⑴　運転中の潤滑油圧力は，200〜400 kPa（2〜4 kgf/cm^2）である。

⑵　夏季には，SAE 粘度グレードの小さい潤滑油を使用する。

⑶　土ぼこりの多い場所では，エアクリーナの点検をこまめに行い，エレメントを清掃する。

⑷　運転中のダイナモの充電状況は，電流計または充電ランプで確認する。

解説

3．**建設機械用エンジンの運転・取扱い**（P96）を参照してください。

(1)　運転中の潤滑油圧力の目安は，**200～400 kPa（2～4 kgf/cm²）**です。

(2)　夏季には，**SAE 粘度グレード**の**大きい**潤滑油を使用します。

(3)　塵埃（じんあい）の著しい場所では，**エアクリーナの点検**を特に頻繁（ひんぱん）に行い，**エレメントを清掃**または交換します。

(4)　運転中の**ダイナモ（発電装置）の充電状況**が適切であることを，**電流計**の指示が＋か０，または**充電ランプ**の消灯で確認します。

解答　(2)

問題65

建設機械用ディーゼルエンジンの取扱いに関する次の記述のうち，**適切でないもの**はどれか。

(1)　エンジン始動後は，十分なアイドリングを行い各部に潤滑油を回す。

(2)　エンジンの冷却水温度が適正値に上昇するまで，暖気運転を行う。

(3)　潤滑油の交換やシリンダヘッドのボルト増締めは，始動前のエンジンが冷えた状態で行う。

(4)　寒冷時には，燃料タンクの水分をこまめに抜き取るようにする。

解説

3．**建設機械用エンジンの運転・取扱い**（P96）を参照してください。

(1)，(2)　エンジン始動直後は高速運転を行わず，十分な**暖気運転（アイドリング）を行って**各部に潤滑油を循環させます。また，冷却水の温度が適切かを確認します。

(3)　**潤滑油の交換**は，エンジンが**暖まっている間**に行います。

(4)　**寒冷時**には，燃料や潤滑油のタンク，フィルタなどの**水分除去**を頻繁に行います。

解答　(3)

12 燃料・潤滑剤

要点の整理と理解

1. 軽油の特性

軽油の特性
① 揮発性はいらないので，高粘度の石油が使用されるため，低温時の流動性が重要である。粘度は，ガソリンより軽油の方が高い。 ② 低温特性の違いにより特１号，１～３号，特３号の５種類に分類されている。 ③ 軽油の選定は，始動時の温度が目詰まり点以上の種別から選定する。 ④ 着火性を示す値であるセタン価は，45 以上である。 ⑤ セタン価が大きいほど着火しやすく，エンジンの始動が容易でノッキングの発生が少ない。 ⑥ 密度：0.81～0.87 g/cm³＞ガソリン（0.72～0.78 g/cm³） ⑦ 引火点：45 ℃以上＞ガソリン（－ 45℃以下）

2. 軽油の JIS 規格

軽油の主な JIS 規格

試験項目	種類				
	特１号	１号	２号	３号	特３号
引火点（℃）	50 以上			45 以上	
流動点（℃）	＋５以下	－ 2.5 以下	－ 7.5 以下	－ 20 以下	－ 30 以下
目詰まり点（℃）	――	－１以下	－５以下	－ 12 以下	－ 19 以下
セタン価（セタン指数）	50 以上		45 以上		
動粘度[30 ℃]（mm²/s）	2.7 以上		2.5 以上	2.0 以上	1.7 以上
硫黄分質量（%）	0.001 以下				

3．燃料の取扱い

軽油やガソリンなどの燃料油や一般の潤滑油は，消防法で**危険物第四類「引火性液体」**に分類されています。燃料の取扱いにおいては，消防法の危険物取扱規定に定められた方法で取扱い，下記の点に留意する必要があります。

燃料の取扱いに関する留意事項
① 燃料の保管は，火気のない冷暗所に貯蔵する。 ② 燃料を入れたドラム缶をやむを得ず屋外に保管する場合は，横置きにしシートをかけて雨水等の混入を防ぐ。 ③ 燃料補給は作業終了後に毎日行い，燃料タンクは必ず満杯にしておく。 ④ 燃料補給は，燃料タンクの蓋の周辺や，ホースの汚れを落としてから行う。 ⑤ 燃料は一昼夜以上静置，沈殿させ，水や塵埃の沈殿した水分が混入しないように，上澄み（うわずみ）を静かに汲上（くみあ）げる。

4．潤滑剤

主な潤滑剤の種類と概要

種　類	概　要
エンジンオイル	・粘度グレードの番号に「W」が付いたものは冬季用である。 ・使用場所の外気温にあった規格のものを使用し，外気温が高い場合は高粘度，低い場合は低粘度のオイルを使用する。 ・マルチグレードオイルは，夏冬通して使用できる。 ・交換周期は 100～500 時間で，ギヤオイルや作動油に比べて交換周期が短い。 ・性能が合うエンジンオイルを作動油として使用する建設機械もある。 ・植物油ベースのエンジンオイルは使用しない。 ・交換作業は，エンジン運転直後のまだ暖かい状態で行う。
ギヤオイル	・外気温に適合した粘度グレードのものを使用する。 冬季用：75 W～80 W，夏季用：90

種　類	概　要
作動油	・流体の圧力や運動エネルギーの伝達媒体としての大きな役割がある。 ・低温時に流動性を失わないように，温度による粘度変化の小さいものが望ましい。 　粘度が低すぎる場合：内部及び外部漏洩（ろうえい）の増加を招く 　粘度が高すぎる場合：油温の上昇や圧力損失の増加を招く ・ISO 粘度は，油温 40 ℃における粘度の特性により分類され，夏冬の区別はしない。 ・環境保全に配慮した生分解性作動油を使用する建設機械もある。
グリース	・グリースの硬さは，稠（ちょう）度で示され，数値が大きいほど軟らかい。
ブレーキ液	・ブレーキ液の交換後は，必ずエア抜きをする。
不凍液	・不凍液の液量レベルが下がった場合に水を補給しない。 ・不凍液の希釈水は，水道水を使用する。

問題66

ディーゼルエンジンの燃料として用いられる軽油の特性に関する次の記述のうち，**適切なもの**はどれか。

(1)　引火点は，ガソリンに比べて低い。

(2)　密度は，ガソリンに比べて小さい。

(3)　流動点は，目詰まり点より高い。

(4)　セタン価は，高いほど着火性がよい。

解　説

1．軽油の特性（P102）を参照してください。

(1)　軽油の**引火点**は 45 ℃以上で，ガソリンの引火点（－ 45 ℃以下）より**高い**です。

(2) 軽油の**密度**は0.81～0.87 g/cm³で，ガソリンの密度0.72～0.78 g/cm³より**大きい**です。

(3) **2．軽油のJIS規格**（P102）を参照してください。

流動点とは**流動性を維持できる限界温度**で，**目詰まり点**とは析出した軽油ワックス分が燃料フィルタを**閉塞する温度**です。流動点は，目詰まり点より**低い**温度です。

(4) **軽油**の着火性を示す値である**セタン価**は45以上で，セタン価が**大きいほど着火しやすく**，エンジンの始動が容易でノッキングの発生が少ないです。なお，ガソリンではオクタン価が使用されており，オクタン価が大きいほど自然着火しにくいです。

軽油：セタン価（大）→着火しやすい。
ガソリン：オクタン価（大）→着火しにくい。

解答 (4)

問題67 出る 出る 出る

JIS規格で定められている軽油の特性に関する次の記述のうち，**適切なもの**はどれか。

(1) 着火性を示す値であるオクタン価は，45以上である。

(2) ディーゼルエンジンの燃料としては，揮発性は必要としない。

(3) 低温特性の違いにより1号，2号の2種類に分類されている。

(4) 引火点は，40 ℃から45 ℃の間にある。

解 説

1．軽油の特性（P102）を参照してください。

(1) 着火性を示す値である**セタン価**は，45以上です。

(2) ディーゼルエンジンの燃料として使用される軽油は，**揮発性（きはつせい）を必要としません。**

(3) 低温特性の違いから，特1号，1号，2号，3号，特3号の**5種類**に分類されています。

(4) 引火点は，特1号，1号，2号が**50℃以上**，3号，特3号が**45℃以上**です。

解答 (2)

問題68

燃料の性質に関する次の記述のうち，**適切なもの**はどれか。

(1) ガソリンは，オクタン価が高いほど着火しやすい。
(2) 引火点は，軽油よりガソリンの方が高い。
(3) 粘度は，ガソリンより軽油の方が低い。
(4) 軽油は，セタン価が低くなると低温始動性が悪くなる。

解 説

1．軽油の特性（P102）を参照してください。

(1) 問題66 の 解 説 (4)を参照してください。ガソリンは，**オクタン価**が高いほど自然**着火しにくい**です。

(2) 問題66 の 解 説 (1)を参照してください。引火点は，軽油よりガソリンの方が**低い**です。

(3) 粘度は，ガソリンより軽油の方が**高い**です。

軽油とガソリンの比較として
「粘度，引火点，密度→軽油＞ガソリン」
をポイントに覚えると良いです。

(4) 軽油は，**セタン価が低く**なると着火しにくく，エンジンの**始動が困難**となります。

解答 (4)

問題69

燃料の取扱いに関する次の記述のうち，**適切でないもの**はどれか。

(1) 軽油やガソリンは，消防法で危険物第四類「引火性液体」に分類される。

(2)　ドラム缶から燃料補給する場合は，一昼夜以上静置して，沈殿した水分が混入しないように給油するのが望ましい。
(3)　燃料補給は，燃料タンクの蓋の周辺や，ホースの汚れを落としてから行う。
(4)　建設機械への燃料補給は，作業終了後に毎日確認し，タンク容量の5割程度まで減少しているときは補給する。

解 説

3．燃料の取扱い（P103）を参照してください。
(1)　**軽油**や**ガソリン**及び一般の**潤滑油**は，消防法で**危険物第四類「引火性液体」**に分類されています。
(2)　ドラム缶から燃料補給する場合は，一昼夜以上静置，沈殿させ，沈殿した水分が混入しないように，**上澄み**（うわずみ）を静かに汲上げ（くみあげ）ます。
(3)　燃料を補給する場合，燃料タンクの蓋（ふた）の周辺や，ホースの汚れを落としてから行うことで，**塵埃**（じんあい）**の混入**（こんにゅう）**を防止**します。
(4)　建設機械への燃料補給は，**作業終了後**に毎日行い，**燃料タンク**は必ず**満杯**にしておきます。

解答　(4)

問題70　出る　出る

燃料及びその取扱いに関する次の記述のうち，**適切でないもの**はどれか。
(1)　燃料を入れたドラム缶をやむを得ず屋外に保管するときは，横置きにしシートをかけて雨水等の混入を防ぐ。
(2)　軽油は，ガソリンに比べて引火点が高い。
(3)　自動車用ガソリンは，オクタン価が96.0以上と89.0以上の2種類がある。
(4)　燃料タンクへの燃料の補給は，作業開始前に行うのが望ましい。

解 説

(1)　**3．燃料の取扱い**（P103）を参照してください。
(2)　**問題66**の 解 説 (1)を参照してください。
(3)　オクタン価89～92（89.0以上）の**レギュラーガソリン**と，オクタン価96～100（96.0以上）の**プレミアムガソリン（ハイオク）**の2種類があります。

(4) 問題69 の 解 説 (4)を参照してください。燃料タンクへの燃料の補給は，**作業終了後**に行うのが望ましいです。

解答 (4)

エンジンオイルに関する次の記述のうち，**適切でないもの**はどれか。

(1) エンジン内部の汚れを洗浄する作用を持っている。

(2) ガソリンエンジン用は，ディーゼルエンジン用にも使用できる。

(3) ギヤオイルや作動油に比べて交換周期が短いのが一般的である。

(4) 性能が合うエンジンオイルを作動油として使用する建設機械もある。

解 説

4．潤滑剤（P103）を参照してください。

(1) 汚染物や汚れを油中に分散させて，洗い流す**洗浄作用**があります。

(2) **ディーゼルエンジン用**のオイルには，軽油の中に含まれる「硫黄分」を分解するためのアルカリ分が添加物として多めに加えられています。

したがって，添加物の少ない**ガソリンエンジン用**のオイルを，ディーゼルエンジンに使用するのは適切ではありません。

(3) **エンジンオイル**の交換周期は**100〜500 時間**で，**ギヤオイル**や**作動油**に比べて交換周期が**短い**です。

(4) 性能が合う**エンジンオイルを作動油として使用**する建設機械もあります。

解答 (2)

エンジンオイルに関する次の記述のうち，**適切なもの**はどれか。

(1) マルチグレードオイルと呼ばれるエンジンオイルは，ガソリンエンジンとディーゼルエンジンに共用できる。

(2) ディーゼルエンジンには，植物油ベースのエンジンオイルが一般的に使用されている。

(3)　外気温が高い場合は高粘度，低い場合は低粘度のエンジンオイルを使用する。

(4)　10 W 等，粘度グレードの番号に「W」がつくエンジンオイルは夏季用である。

解 説

4．潤滑剤（P103）を参照してください。

(1)　**マルチグレードオイル**と呼ばれるエンジンオイルは，ガソリンエンジン用のオイルで，**夏冬通して使用**できます。

(2)　**植物油ベース**のエンジンオイルは，一般に使用されていません。

(3)　エンジンオイルは使用場所の**外気温にあった規格**のものを使用し，外気温が**高い**場合は**高粘度**，**低い**場合は**低粘度**のオイルを使用します。

(4)　粘度グレード番号に「W」の付いたエンジンオイルは**冬季用**です。

解答　(3)

作動油に関する次の記述のうち，**適切でないもの**はどれか。

(1)　低温時に流動性を失わないように，温度による粘度変化の大きいものが望ましい。

(2)　環境保全に配慮した生分解性作動油を使用する建設機械もある。

(3)　ISO 粘度は，油温 40 ℃における粘度の特性により分類されている。

(4)　流体の圧力や運動エネルギーの伝達媒体としての大きな役割がある。

解 説

(1)　作動油は，低温時に流動性を失うことのないように，温度による**粘度変化の小さいもの**がよいです。

(2)　**生分解性作動油**で建設機械に使用できるものもあります。

(3)　作動油の粘度分類は，**油温 40 ℃における ISO 粘度分類**だけで，夏冬用の区別はありません。

(4)　作動油は，流体の圧力や運動エネルギーの**伝達媒体**（ばいたい）として，重要な役割をしています。

解答　(1)

13 建設業法

要点の整理と理解

1. 建設業の許可

建設業法第３条（建設業の許可）より，**建設業を営もうとする者**は，次の区分において，許可を受けなければならないです。

理解しよう！

建設業の許可の区分

許可の区分	区分の内容
国土交通大臣の許可	２以上の都道府県の区域内に営業所を設ける場合
都道府県知事の許可	１の都道府県の区域内に営業所を設ける場合
※下記のいずれかに該当する軽微な建設工事のみを請け負う場合は許可が不要。 [工事１件の請負代金の額] ・建築一式工事で，1,500 万円未満 ・建築一式工事で，延べ面積が 150 m^2未満の木造住宅工事 ・建築一式工事以外で，500 万円未満	

特定建設業と一般建設業

特定建設業	発注者から直接請け負う 1 件の建設工事につき，**4,500 万円**（建築工事業：**7,000 万円**）以上の下請契約を締結して施工するものに対する許可
一般建設業	特定建設業以外の建設業を営むものに対する許可

建設業の許可に関する主な条文

建設業法	項	概　要
第３条 **（建設業の許可）**	2.	建設業の許可は，**建設工事の種類**ごとに，それぞれの建設業に分けて与えるものとする。

建設業法	項	概　要
第3条 （建設業の許可）	3. 5. 6.	建設業の許可は，**5年**ごとにその更新を受けなければ，その期間の経過によって，その効力を失う。 許可の更新がされたときは，その許可の有効期間は，従前の許可の有効期間の満了の日の翌日から起算するものとする。 一般建設業の許可を受けた者が，当該許可に係る建設業について，特定建設業の許可を受けたときは，その者に対する当該建設業に係る一般建設業の許可は，その効力を失う。
第4条 （附帯工事）	1.	建設業者は，許可を受けた建設業に係る建設工事を請け負う場合においては，当該建設工事に附帯する他の建設業に係る建設工事を請け負うことができる。
第8条	1.	国土交通大臣又は都道府県知事は，許可を受けようとする者が次の各号のいずれかに該当するときは，許可をしてはならない。 二．一般建設業の許可又は特定建設業の許可を取り消され，その**取消しの日から5年**を経過しない者
第29条 （許可の取消し）	1.	国土交通大臣又は都道府県知事は，その許可を受けた建設業者が次の各号のいずれかに該当するときは，当該建設業者の許可を取り消さなければならない。 四．許可を受けてから**1年以内**に営業を**開始せず**，又は引き続いて**1年以上**営業を**休止**した場合

2．建設工事の請負契約

建設工事の請負契約に関する主な条文

建設業法	項	概　要
第19条の3 （不当に低い請負代金の禁止）	1.	注文者は，自己の取引上の地位を不当に利用して，その注文した建設工事を施工するために通常必要と認められる原価に満たない金額を請負代金の額とする請負契約を締結してはならない。

建設業法	項	概　要
第19条の４（不当な使用資材等の購入強制の禁止）	１．	注文者は，請負契約の締結後，自己の取引上の地位を不当に利用して，その注文した建設工事に使用する資材若しくは機械器具又はこれらの購入先を指定し，これらを請負人に購入させて，その利益を害してはならない。
第22条（一括下請負の禁止）	１．	建設業者は，その請け負った建設工事を，いかなる方法をもってするかを問わず，一括して他人に請け負わせてはならない。
	２．	建設業を営む者は，建設業者から当該建設業者の請け負った建設工事を一括して請け負ってはならない。
	３．	前２項の建設工事が多数の者が利用する施設又は工作物に関する重要な建設工事で，政令で定めるもの（共同住宅の新築工事）以外の建設工事である場合において，当該建設工事の元請負人があらかじめ発注者の書面による承諾を得たときは，これらの規定は，適用しない。
第24条の２（下請負人の意見の聴取）	１．	元請負人は，その請け負った建設工事を施工するために必要な工程の細目，作業方法その他元請負人において定めるべき事項を定めようとするときは，あらかじめ，下請負人の意見をきかなければならない。
第24条の３（下請代金の支払）	１．	元請負人は，請負代金の出来形部分に対する支払又は工事完成後における支払を受けたときは，当該支払の対象となった建設工事を施工した下請負人に対して，当該元請負人が支払を受けた金額の出来形に対する割合及び当該下請負人が施工した出来形部分に相応する下請代金を，当該支払を受けた日から１箇月以内で，かつ，できる限り短い期間内に支払わなければならない。
	２．	前項の場合において，元請負人は，同項に規定する下請代金のうち労務費に相当する部分については，現金で支払うよう適切な配慮をしなければならない。
	３．	元請負人は，前払金の支払を受けたときは，下請負人に対して，資材の購入，労働者の募集その他建設工事の着手に必要な費用を前払金として支払うよう適切な配慮をしなければならない。

建設業法	項	概　要
第 24 条の４ （検査及び引渡し）	1．	元請負人は，下請負人からその請け負った建設工事が完成した旨の通知を受けたときは，当該通知を受けた日から 20 日以内で，かつ，できる限り短い期間内に，その完成を確認するための検査を完了しなければならない。

3．施工技術の確保

施工技術の確保に関する主な条文

建設業法	項	概　要
第 25 条の 27 （施工技術の確保に関する建設業者等の責務）	1．	建設業者は，建設工事の担い手の育成及び確保その他の施工技術の確保に努めなければならない。
第 26 条 （主任技術者及び監理技術者の設置等）	1．	建設業者は，その請け負った建設工事を施工するときは，主任技術者を置かなければならない。
	2．	発注者から直接建設工事を請け負った特定建設業者は，当該建設工事を施工するために締結した下請契約の請負代金の額が政令で定める金額以上になる場合においては，前項の規定にかかわらず，監理技術者を置かなければならない。
	3．	公共性のある施設若しくは工作物又は多数の者が利用する施設若しくは工作物に関する重要な建設工事で，政令で定めるものについては，前二項の規定により置かなければならない主任技術者又は監理技術者は，工事現場ごとに，専任の者でなければならない。ただし，監理技術者にあっては，発注者から直接当該建設工事を請け負った特定建設業者が，当該監理技術者の行うべき職務を補佐する者として，政令で定める者を当該工事現場に専任で置くときは，この限りでない。

建設業法	項	概　要
第26条の4（主任技術者及び監理技術者の職務等）	1．	主任技術者及び監理技術者は，工事現場における建設工事を適正に実施するため，当該建設工事の施工計画の作成，工程管理，品質管理その他の技術上の管理及び当該建設工事の施工に従事する者の技術上の指導監督の職務を誠実に行わなければならない。

金額による監理技術者の配置と専任配置

		建築一式工事	その他の工事※
・監理技術者の配置 ・施工体制台帳の作成，施工体系図の作成（公共工事を除く。）	元請のみ	下請代金の総額 7,000万円以上	下請代金の総額 4,500万円以上
・主任技術者または監理技術者の専任配置	元請・下請	請負代金の額 8,000万円以上	請負代金の額 4,000万円以上

※その他の工事は，建設業法で定められている建築一式工事以外の工事

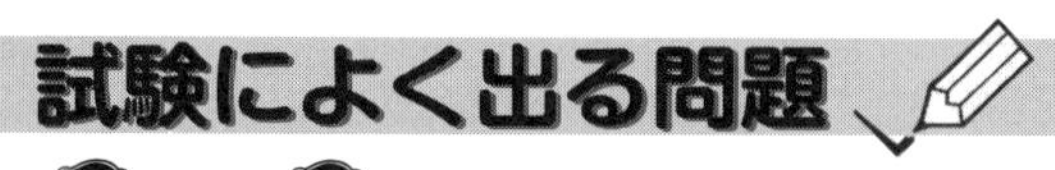

建設業法における建設業の許可に関する次の記述のうち，**適切でないもの**はどれか。

⑴　建設業を営もうとする者は，複数の都道府県の区域に営業所を設けて営業しようとする場合は，国土交通大臣の許可を受けなければならない。

⑵　一般建設業の許可を受けた者が，当該許可に係る建設業について，特定建設業の許可を受けたときは，当該建設業に係る一般建設業の許可は，その効力を失う。

⑶　工事1件の請負代金の額が1,000万円未満の土木一式工事のみを請け負うことを営業とする者は，建設業の許可を必要としない。

(4) 建設業の許可は，5年ごとに更新を受けなければ，その期間が経過したときに効力を失う。

解 説

1．**建設業の許可**（P110）を参照してください。

(1) ［建設業法第3条（建設業の許可）］

2以上の都道府県の区域に営業所を設けて営業しようとする場合は，**国土交通大臣の許可**が必要です。

(2) ［建設業法第3条（建設業の許可）第6項］

一般建設業の許可を受けた者が，**特定建設業の許可**を受けた場合は，一般建設業の許可は，その効力を失います。

(3) **500万円未満**の場合であれば建設業の許可は**不要**ですが，記述の場合は**許可が必要**になる場合があります。

(4) ［建設業法第3条（建設業の許可）第3項］

建設業の許可は，**5年**ごとにその**更新**を受けなければ，その期間の経過によって，その効力を失います。

解答 (3)

問題75 出る 出る 出る

建設業法に定める建設業の許可に関する次の記述のうち，**適切なもの**はどれか。

(1) 建設業の許可は，3年ごとに更新を受けなければ，その期間の経過によって，その効力を失う。

(2) 一般建設業の許可を受けた者が当該許可に係る建設業について特定建設業の許可を受けたときは，どちらの許可も効力を有する。

(3) 500万円未満の土木一式工事のみを請け負うことを営業とする者も，建設業の許可を受けなければならない。

(4) 許可の更新がされたときは，その許可の有効期間は，従前の許可の有効期間の満了の日の翌日から起算するものとする。

解　説

1．建設業の許可（P110）を参照してください。

⑴　問題74 の 解　説 ⑷を参照してください。

⑵　問題74 の 解　説 ⑵を参照してください。

⑶　問題74 の 解　説 ⑶を参照してください。

500 万円未満の土木一式工事のみを請け負うことを営業とする者は，**建設業の許可は不要**です。

⑷　［建設業法第３条（建設業の許可）第５項］

解答　⑷

建設業法上，建設工事の請負契約における元請負人の責務に関する次の記述のうち，**適切でないもの**はどれか。

⑴　その請け負った建設工事を施工するために必要な作業方法を定めようとするときは，あらかじめ，下請負人の意見をきかなければならない。

⑵　工事完成後における支払を受けたときは，下請負人に対して，その支払を受けた日から３箇月以内に，支払を受けた額のうち当該下請負人が施工した出来形部分に相応する下請負代金を支払わなければならない。

⑶　前払金の支払を受けたときは，下請負人に対して，資材の搬入などの建設工事の着手に必要な費用を前払金として支払うよう適切な配慮をしなければならない。

⑷　下請負人からその請け負った建設工事が完成した旨の通知を受けたときは，当該通知を受けた日から 20 日以内で，かつ，できるだけ短い期間内にその完成を確認するための検査を完了しなければならない。

解　説

2．建設工事の請負契約（P111）を参照してください。

⑴　［建設業法第 24 条の２（下請負人の意見の聴取）第１項］

工程の細目，作業方法を定めようとする場合，元請負人は，あらかじめ，**下請負人の意見**をきかなければならないです。

⑵　［建設業法第 24 条の３（下請代金の支払）第１項］

元請負人は，**下請代金を**，当該支払を受けた日から**1箇月以内**で，かつ，できる限り短い期間内に支払わなければならないです。

⑶ ［建設業法第 24 条の 3（下請代金の支払）第 3 項］

⑷ ［建設業法第 24 条の 4（検査及び引渡し）第 1 項］

解答 ⑵

建設業法に関する次の記述のうち，**適切でないもの**はどれか。

⑴ 注文者は，請負契約の締結後，自己の取引上の地位を不当に利用して，その注文した建設工事に使用する資材の購入先を指定し，その資材を請負人に購入させて，その利益を害してはならない。

⑵ 建設業者は，その者と同じ種類の建設業の許可を受けた建設業者である元請負人からは，発注者の承諾を得なくても建設工事を一括して請け負うことができる。

⑶ 主任技術者は，建設工事の施工計画の作成，工程管理，品質管理その他の技術上の管理を誠実に行わなければならない。

⑷ 建設業者は，建設工事の担い手の育成及び確保その他の施工技術の確保に努めなければならない。

解説

2．建設工事の請負契約（P111）及び**3．施工技術の確保**（P113）を参照してください。

⑴ ［建設業法第 19 条の 4（不当な使用資材等の購入強制の禁止）第 1 項］

⑵ ［建設業法第 22 条（**一括下請負の禁止**）第 2 項，第 3 項］

第 2 項で，「建設業を営む者は，建設業者から当該建設業者の請け負った建設工事を**一括して請け負ってはならない**。」と規定されていますが，第 3 項により，元請負人があらかじめ発注者の**書面による承諾を得た場合**は，原則として，一括して請け負うことができます。

⑶ ［建設業法第 26 条の 4（主任技術者及び監理技術者の職務等）第 1 項］

⑷ ［建設業法第 25 条の 27（施工技術の確保に関する建設業者等の責務）第 1 項］

解答 ⑵

問題78 出る 出る 出る

建設業法及び公共工事標準請負契約約款上，主任技術者及び監理技術者に関する次の記述のうち，**適切なもの**はどれか。

(1) 建設業者は，国又は地方公共団体が発注する建設工事を請け負った場合には，必ず監理技術者を置かなければならない。

(2) 発注者から直接土木一式工事を請け負った特定建設業者は，その下請契約の請負代金の合計額が 4,500 万円以上になる場合，主任技術者を置かなければならない。

(3) 主任技術者又は監理技術者は，工事現場における技術上の管理及び下請負人との契約の職務を誠実に行わなければならない。

(4) 主任技術者は，現場代理人の職務を兼ねることができる。

解 説

3．施工技術の確保（P113）を参照してください。

(1) ［建設業法第 26 条（主任技術者及び監理技術者の設置等）第 2 項］

下請契約の請負代金の額に応じて，監理技術者の配置が規定されています。

(2) ［建設業法第 26 条（主任技術者及び監理技術者の設置等）第 2 項］

発注者から直接土木一式工事（**建築一式工事以外の工事**）を請け負った特定建設業者は，その**下請代金の総額**が **4,500 万円以上**になる場合，**監理技術者**を置く必要があります。

(3) ［建設業法第 26 条の 4（主任技術者及び監理技術者の職務等）第 1 項］

第 1 項で規定されている主任技術者及び監理技術者の職務は，**技術上の管理**及び**技術上の指導監督**の職務で，**下請負人との契約の職務**は該当しません。

(4) ［公共工事標準請負契約約款第 10 条（現場代理人及び主任技術者等）第 5 項］

現場代理人，監理技術者等（監理技術者，監理技術者補佐又は**主任技術者**をいう。）及び専門技術者は，**これを兼ねる**ことができます。

解答 (4)

14 道路法・車両制限令

要点の整理と理解

1．道路法

道路法施行令

道路法施行令	項	概　要
第13条 （工事実施の方法に関する基準）	1．	法第32条第2項第五号に掲げる事項についての法第33条第1項の政令で定める基準は，次のとおりとする。 二．道路を掘削する場合においては，溝掘，つぼ掘又は推進工法その他これに準ずる方法によるものとし，えぐり掘の方法によらないこと。 五．工事現場においては，さく又は覆いの設置，夜間における赤色灯又は黄色灯の点灯その他道路の交通の危険防止のために必要な措置を講ずること。 六．電線等が地下に設けられていると認められる場所又はその付近を掘削する工事にあっては，保安上の支障のない場合を除き，次のいずれにも適合するものであること。 イ．試掘その他の方法により当該電線等を確認した後に実施すること。 ロ．当該電線等の管理者との協議に基づき，当該電線等の移設又は防護，工事の見回り又は立会いその他の保安上必要な措置を講ずること。 ハ．ガス管又は石油管の付近において，火気を使用しないこと。
第14条 （工事の時期に関する基準）	1．	法第32条第2項第六号に掲げる事項についての法第33条第1項の政令で定める基準は，次のとおりとする。 二．道路の交通に著しく支障を及ぼさない時期であること。特に道路を横断して掘削する工事その他道路の交通を遮断する工事については，交通量の最も少ない時間であること。

道路法施行規則

道路法施行規則	項	概　要
第４条の４の４（道路を掘削する場合における工事実施の方法）	1．	占用に関する工事で，道路を掘削するものの実施方法は，次の各号に掲げるところによるものとする。 一．舗装道の舗装の部分の切断は，のみ又は切断機を用いて，原則として直線に，かつ，路面に垂直に行うこと。 二．掘削部分に近接する道路の部分には，占用のために掘削した土砂をたい積しないで余地を設けるものとし，当該土砂が道路の交通に支障を及ぼすおそれのある場合においては，これを他の場所に搬出すること。 三．わき水又はたまり水により土砂の流失又は地盤の緩みを生ずるおそれのある箇所を掘削する場合においては，当該箇所に土砂の流失又は地盤の緩みを防止するために必要な措置を講ずること。 四．わき水又はたまり水の排出に当たっては，道路の排水に支障を及ぼすことのないように措置して道路の排水施設に排出する場合を除き，路面その他の道路の部分に排出しないように措置すること。 五．掘削面積は，工事の施行上やむを得ない場合において，覆工を施す等道路の交通に著しい支障を及ぼすことのないように措置して行う場合を除き，当日中に復旧可能な範囲とすること。 六．道路を横断して掘削する場合においては，原則として，道路の交通に著しい支障を及ぼさないと認められる道路の部分について掘削を行い，当該掘削を行った道路の部分に道路の交通に支障を及ぼさないための措置を講じた後，その他の道路の部分を掘削すること。 七．沿道の建築物に接近して道路を掘削する場合においては，人の出入りを妨げない措置を講ずること。

道路法施行規則	項	概　要
第4条の4の6 （占用のために掘削した土砂の埋戻しの方法）	1．	占用のために掘削した土砂の埋戻しの方法は，次の各号に掲げるところによるものとする。 一．各層（層の厚さは，原則として0.3m（路床部にあっては0.2m）以下とする。）ごとにランマその他の締固め機械又は器具で確実に締め固めて行うこと。 二．くい，矢板等は，下部を埋め戻して徐々に引き抜くこと。ただし，道路の構造又は他の工作物，物件若しくは施設の保全のためやむを得ない事情があると認められる場合には，くい，矢板等を残置することができる。

2．車両制限令

車両制限令

車両制限令	項	概　要
第3条 （車両の幅等の最高限度）	1．	法第47条第1項の車両の幅，重量，高さ，長さ及び最小回転半径の最高限度は，次のとおりとする。 一．幅　2.5m 二．重量　次に掲げる値 ロ．軸重　10t ニ．輪荷重　5t 三．高さ　道路管理者が道路の構造の保全及び交通の危険の防止上支障がないと認めて指定した道路を通行する車両にあっては4.1m，その他の道路を通行する車両にあっては3.8m 四．長さ　12m 五．最小回転半径　車両の最外側のわだちについて12m

試験によく出る問題

問題79

道路法上，道路占用工事における道路の掘削及び埋戻しに関する次の記述のうち，**適切でないもの**はどれか。

(1) 打ち込んだくい，矢板等は，残置しないで例外なく引き抜くこと。

(2) 掘削した土砂が道路の交通に支障を及ぼすおそれのある場合には，これを他の場所に搬出すること。

(3) 電線が地下に設けられていると認める場合には，保安上の支障がない場合を除き，試掘等により電線を確認した後に掘削を実施し，電線の管理者との協議に基づき，保安上必要な措置を講ずること。

(4) 掘削面積は，工事の施工上やむを得ない場合において，覆工を施す等道路の交通に著しい支障を及ぼすことのないように措置して行う場合を除き，当日中に復旧可能な範囲とすること。

解 説

1．道路法（P119）を参照してください。

(1) ［道路法施行規則第4条の4の6（占用のために掘削した土砂の埋戻しの方法）第1項第二号］

やむを得ない事情があると認められる場合には，くい，矢板等を残置することができます。

(2) ［道路法施行規則第4条の4の4（道路を掘削する場合における工事実施の方法）第1項第二号］

(3) ［道路法施行令第13条（工事実施の方法に関する基準）第1項第六号］

(4) ［道路法施行規則第4条の4の4（道路を掘削する場合における工事実施の方法）第1項第五号］

解答　(1)

問題80

道路法上，道路占用工事の実施に関する次の記述のうち，**適切でないもの**は

どれか。
(1) 地下に電線が埋設されている箇所の掘削は，保安上の支障がない場合を除き，試掘その他の方法により当該電線を確認した後に実施すること。
(2) 地下にガス管が埋設されている箇所の掘削は，保安上の支障がない場合を除き，ガス管の付近では火気を使用しないこと。
(3) 道路を横断して掘削する工事その他道路の交通を遮断する工事は，日中の時間には行ってはならないこと。
(4) 沿道の建築物に接近して道路を掘削する場合においては，人の出入りを妨げない措置を講ずること。

解 説

1．**道路法**（P119）を参照してください。

(1), (2) ［道路法施行令第 13 条（工事実施の方法に関する基準）第 1 項第六号］

(3) ［道路法施行令第 14 条（工事の時期に関する基準）第 1 項第二号］

「道路を横断して掘削する工事その他道路の交通を遮断する工事については，**交通量の最も少ない時間**であること」と規定されています。日中の時間に行ってはならないと規定されていません。

(4) ［道路法施行規則第 4 条の 4 の 4（道路を掘削する場合における工事実施の方法）第 1 項第七号］

解答 (3)

問題81

道路法上，道路占用工事における道路の掘削及び埋戻しに関する次の記述のうち，**適切でないもの**はどれか。
(1) 掘削面積は，工事の施行上やむを得ない場合において，道路の交通に著しい支障を及ぼすことのないように措置して行う場合を除き，当日中に復旧可能な範囲とすること。
(2) わき水により地盤の緩みを生ずるおそれのある箇所を掘削する場合は，地盤の緩みを防止するために必要な措置を講ずること。
(3) 掘削土砂の埋戻し 1 層の厚さは，路床部では原則として 0.5 m とし，締固め機械又は器具で確実に締め固めること。

⑷　道路を横断して掘削する場合は，原則として，道路の交通に著しい支障を及ぼさないと認められる道路の部分について掘削を行い，掘削部分に交通に支障を及ぼさないための措置を講じた後，その他の部分の掘削を行うこと。

解 説

1．道路法（P120～P121）を参照してください。

⑴　**問題79** の **解 説** ⑷を参照してください。

⑵　［道路法施行規則第４条の４の４（道路を掘削する場合における工事実施の方法）第１項第三号］

⑶　［道路法施行規則第４条の４の６（占用のために掘削した土砂の埋戻しの方法）第１項第三号］

掘削土砂の埋戻し１層の厚さは，原則として **0.3 m（路床部にあっては 0.2 m）以下**ごとに，ランマその他の締固め機械又は器具で確実に締め固めて行います。

⑷　［道路法施行規則第４条の４の４（道路を掘削する場合における工事実施の方法）第１項第六号］

解答　⑶

問題82

車両制限令による車両の幅，重量，高さ及び長さの最高限度として**適切なもの**は，次のうちどれか。ただし，道路管理者が道路の保全及び交通の危険の防止上支障がないと認めて指定した道路を通行する車両に係る最高限度を除く。

⑴　幅：2.7 m

⑵　高さ：4.1 m

⑶　輪荷重：10 t

⑷　長さ：12 m

解 説

［車両制限令第３条（車両の幅等の最高限度）第１項］より，⑴幅：2.5 m，⑵高さ：3.8 m，⑶輪荷重：５ t，⑷長さ：12 m で，**⑷**が適切です。

解答　⑷

15 騒音規制法

要点の整理と理解

1. 騒音規制法

騒音規制法

騒音規制法	項	概　要
第2条（定義）	3.	この法律において「特定建設作業」とは，建設工事として行なわれる作業のうち，著しい騒音を発生する作業であって政令で定めるものをいう。
第14条（特定建設作業の実施の届出）	1.	指定地域内において特定建設作業を伴う建設工事を施工しようとする者は，当該特定建設作業の開始の日の7日前までに，環境省令で定めるところにより，次の事項を市町村長に届け出なければならない。ただし，災害その他非常の事態の発生により特定建設作業を緊急に行う必要がある場合は，この限りでない。 一. 氏名又は名称及び住所並びに法人にあっては，その代表者の氏名 二. 建設工事の目的に係る施設又は工作物の種類 三. 特定建設作業の場所及び実施の期間 四. 騒音の防止の方法 五. その他環境省令で定める事項
	2.	前項ただし書の場合において，当該建設工事を施工する者は，速やかに，同項各号に掲げる事項を市町村長に届け出なければならない。
	3.	前2項の規定による届出には，当該特定建設作業の場所の附近の見取図その他環境省令で定める書類を添附しなければならない。

騒音規制法施行規則

騒音規制法施行規則	項	概　要
第10条 （特定建設作業の実施の届出）	2．	法第14条第1項第五号に規定する環境省令で定める事項は，次の各号に掲げるものとする。 一．建設工事の名称並びに発注者の氏名又は名称及び住所並びに法人にあってはその代表者の氏名 二．特定建設作業の種類 三．特定建設作業に使用される騒音規制法施行令別表第2に規定する機械の名称，型式及び仕様 四．特定建設作業の開始及び終了の時刻 五．下請負人が特定建設作業を実施する場合は，当該下請負人の氏名又は名称及び住所並びに法人にあってはその代表者の氏名 六．届出をする者の現場責任者の氏名及び連絡場所並びに下請負人が特定建設作業を実施する場合は，当該下請負人の現場責任者の氏名及び連絡場所
	3．	法第14条第3項の規定により第1項の届出書に添附しなければならない書類は，特定建設作業を伴う建設工事の工程の概要を示した工事工程表で特定建設作業の工程を明示したものとする。

騒音規制法施行令

騒音規制法施行令	項	概　要
第2条 （特定建設作業）	1．	法第2条第3項の政令で定める作業は，別表第2に掲げる作業とする。ただし，当該作業がその作業を開始した日に終わるものを除く。
別表第2（第2条関係）		
一．くい打機（もんけんを除く。），くい抜機又はくい打くい抜機（圧入式くい打くい抜機を除く。）を使用する作業（くい打機をアースオーガと併用する作業を除く。） 二．びょう打機を使用する作業 三．さく岩機を使用する作業（作業地点が連続的に移動する作業にあっては，1日における当該作業に係る2地点間の最大距離が50mを超えない作業に限る。）		

別表第2(第2条関係)

四. 空気圧縮機(電動機以外の原動機を用いるものであって，その原動機の定格出力が 15 kW 以上のものに限る。)を使用する作業(さく岩機の動力として使用する作業を除く。)

五. コンクリートプラント(混練機の混練容量が 0.45 m^3以上のものに限る。)又はアスファルトプラント(混練機の混練重量が 200 kg 以上のものに限る。)を設けて行う作業(モルタルを製造するためにコンクリートプラントを設けて行う作業を除く。)

六. **バックホウ**(一定の限度を超える大きさの騒音を発生しないものとして環境大臣が指定するものを除き，原動機の定格出力が 80 kW 以上のものに限る。)を使用する作業

七. **トラクタショベル**(一定の限度を超える大きさの騒音を発生しないものとして環境大臣が指定するものを除き，原動機の定格出力が 70 kW 以上のものに限る。)を使用する作業

八. **ブルドーザ**(一定の限度を超える大きさの騒音を発生しないものとして環境大臣が指定するものを除き，原動機の定格出力が 40 kW 以上のものに限る。)を使用する作業

試験によく出る問題

問題83

騒音規制法上，指定区域内で特定建設作業を実施しようとする者が市町村長に届け出なければならない事項又は添付書類に**該当しないもの**は，次のうちどれか。なお，この問いにおいて「機械」とは，騒音規制法施行令別表第2に規定する機械をいう。

(1) 特定建設作業を伴う建設工事の工程の概要を示した工事工程表で特定建設作業の工程を明示したもの

(2) 特定建設作業に使用する機械の名称，型式及び仕様

(3) 特定建設作業に使用する機械の特定自主検査を行った者の氏名及び資格者証番号

(4) 下請負人が特定建設作業を実施する場合には，下請負人の現場責任者の氏名及び連絡場所

解説

1．**騒音規制法**（P126）を参照してください。

⑴　［騒音規制法施行規則第 10 条（特定建設作業の実施の届出）第 3 項］

⑵　［騒音規制法施行規則第 10 条（特定建設作業の実施の届出）第 2 項第三号］

⑶　特定建設作業に使用する機械の**特定自主検査を行った者の氏名**及び**資格者証番号**は，該当しないです。

⑷　［騒音規制法施行規則第 10 条（特定建設作業の実施の届出）第 2 項第六号］

解答　⑶

問題84

騒音規制法上，指定地域内で特定建設作業を伴う建設工事を施工しようとする者が市町村長に届け出なければならない事項に**該当しないもの**は，次のうちどれか。

⑴　建設工事の目的に係る施設又は工作物の種類

⑵　特定建設作業の場所及び実施の期間

⑶　工事請負契約書の写し

⑷　騒音の防止の方法

解説

1．**騒音規制法**（P125）を参照してください。

⑴　［騒音規制法第 14 条（特定建設作業の実施の届出）第 1 項第二号］

⑵　［騒音規制法第 14 条（特定建設作業の実施の届出）第 1 項第三号］

⑶　**工事請負契約書の写し**は，該当しないです。

⑷　［騒音規制法第 14 条（特定建設作業の実施の届出）第 1 項第四号］

解答　⑶

問題85

騒音規制法に規定する特定建設作業に**該当しない作業**は，次のうちどれか。ただし，一定の限度を超える大きさの騒音を発生しないものとして環境大臣が指定するもの及び当該作業が作業を開始した日に終わるものを除く。

(1)　定格出力が 40 kW のブルドーザを使用する作業
(2)　アースオーガと併用してくい打ち機を使用する作業
(3)　さく岩機を使用する作業で，作業地点が連続的に移動し，1 日における 2 地点間の最大距離が 50 m を超えないもの
(4)　定格出力が 70 kW のトラクタショベルを使用する作業

解説

1．騒音規制法（P126～P127）を参照してください。
(1)　[騒音規制法施行令別表第 2 第八号]
(2)　[騒音規制法施行令別表第 2 第一号]
くい打機を**アースオーガと併用する作業**は除かれているので，特定建設作業に**該当しない**作業です。
(3)　[騒音規制法施行令別表第 2 第三号]
(4)　[騒音規制法施行令別表第 2 第七号]

解答　(2)

騒音規制法上，指定地域内で特定建設作業を伴う建設工事を施工しようとする者が特定建設作業の実施を**届け出なければならない相手方の機関**は，次のうちどれか。
(1)　警察署長
(2)　労働基準監督署長
(3)　市町村長
(4)　環境事務所長

解説

[騒音規制法第 14 条]で，「指定地域内において**特定建設作業**を伴う建設工事を施工しようとする者は，当該特定建設作業の開始の日の**7日前までに**，**市町村長**に届け出なければならない。」と規定されています。したがって，(3)が該当します。

解答　(3)

16 その他の関係法令

要点の整理と理解

1．建設工事に係る資材の再資源化等に関する法律（建設リサイクル法）

建設リサイクル法

建設リサイクル法	項	概　要
第2条 （定義）	5．	この法律において「特定建設資材」とは，コンクリート，木材その他建設資材のうち，建設資材廃棄物となった場合におけるその再資源化が資源の有効な利用及び廃棄物の減量を図る上で特に必要であり，かつ，その再資源化が経済性の面において制約が著しくないと認められるものとして政令で定めるものをいう。
第5条 （建設業を営む者の責務）	1．	建設業を営む者は，建築物等の設計及びこれに用いる建設資材の選択，建設工事の施工方法等を工夫することにより，建設資材廃棄物の発生を抑制するとともに，分別解体等及び建設資材廃棄物の再資源化等に要する費用を低減するよう努めなければならない。
	2．	建設業を営む者は，建設資材廃棄物の再資源化により得られた建設資材を使用するよう努めなければならない。
第6条 （発注者の責務）	1．	発注者は，その注文する建設工事について，分別解体等及び建設資材廃棄物の再資源化等に要する費用の適正な負担，建設資材廃棄物の再資源化により得られた建設資材の使用等により，分別解体等及び建設資材廃棄物の再資源化等の促進に努めなければならない。
第9条 （分別解体等実施義務）	1．	特定建設資材を用いた建築物等に係る解体工事又はその施工に特定建設資材を使用する新築工事等であって，その規模が第３項又は第４項の建設工事の規模に関する基準以上のもの（以下「対象建設工事」という。）の受注者又はこれを請負契約によらないで自ら施工する者は，正当な理由がある場合を除き，分別解体等をしなければならない。

建設リサイクル法	項	概　要
第 18 条 （発注者への報告等）	1．	対象建設工事の元請業者は，当該工事に係る特定建設資材廃棄物の再資源化等が完了したときは，主務省令で定めるところにより，その旨を当該工事の発注者に書面で報告するとともに，当該再資源化等の実施状況に関する記録を作成し，これを保存しなければならない。

建設リサイクル法施行令

建設リサイクル法施行令	項	概　要
第１条 （特定建設資材）	1．	建設工事に係る資材の再資源化等に関する法律第２条第５項のコンクリート，木材その他建設資材のうち政令で定めるものは，次に掲げる建設資材とする。 一．コンクリート 二．コンクリート及び鉄から成る建設資材 三．木材 四．アスファルト・コンクリート

2．廃棄物の処理及び清掃に関する法律

廃棄物の処理及び清掃に関する法律

廃棄物の処理及び清掃に関する法律	項	概　要
第2条 （定義）	4．	この法律において「**産業廃棄物**」とは，次に掲げる廃棄物をいう。 一．事業活動に伴って生じた廃棄物のうち，燃え殻，汚泥，廃油，廃酸，廃アルカリ，廃プラスチック類その他政令で定める廃棄物

廃棄物の処理及び清掃に関する法律施行令

廃棄物の処理及び清掃に関する法律施行令	項	概　要
第２条 （産業廃棄物）	１．	法第２条第４項第一号の政令で定める廃棄物は，次のとおりとする。 一．紙くず 二．木くず 三．繊維くず

３．資源の有効な利用の促進に関する法律（リサイクル法）

資源の有効な利用の促進に関する法律

リサイクル法	項	概　要
第２条 （定義）	13.	この法律において「**指定副産物**」とは，エネルギーの供給又は建設工事に係る副産物であって，その全部又は一部を再生資源として利用することを促進することが当該再生資源の有効な利用を図る上で特に必要なものとして政令で定める業種ごとに政令で定めるものをいう。

資源の有効な利用の促進に関する法律施行令

リサイクル法施行令	項	概　要
第７条 （指定副産物）	１．	法第２条第 13 項の政令で定める業種ごとに政令で定める副産物は，別表第７の第一欄に掲げる業種ごとにそれぞれ同表の第二欄に掲げるとおりとする。
別表第７		
第一欄	第二欄	
一．電気業	石炭灰	
二．建設業	土砂，コンクリートの塊，アスファルト・コンクリートの塊又は木材	

4. 振動規制法

振動規制法

振動規制法	項	概　要
第2条（定義）	3.	この法律において「**特定建設作業**」とは，建設工事として行われる作業のうち，著しい振動を発生する作業であって政令で定めるものをいう。

振動規制法施行令

振動規制法施行令	項	概　要
第2条（特定建設作業）	1.	法第2条第3項の政令で定める作業は，別表第2に掲げる作業とする。ただし，当該作業がその作業を開始した日に終わるものを除く。
別表第2（第2条関係）		
一．くい打機（もんけん及び圧入式くい打機を除く。），くい抜機（油圧式くい抜機を除く。）又はくい打くい抜機（圧入式くい打くい抜機を除く。）を使用する作業 二．鋼球を使用して建築物その他の工作物を破壊する作業 三．舗装版破砕機を使用する作業（作業地点が連続的に移動する作業にあっては，1日における当該作業に係る2地点間の最大距離が50mを超えない作業に限る。） 四．ブレーカ（手持式のものを除く。）を使用する作業（作業地点が連続的に移動する作業にあっては，1日における当該作業に係る2地点間の最大距離が50mを超えない作業に限る。）		

試験によく出る問題

建設工事に係る資材の再資源化等に関する法律（建設リサイクル法）に関する次の記述のうち，**適切でないもの**はどれか。

(1)　発注者は，その注文する建設工事について，分別解体等及び建設資材廃棄物の再資源化等の促進に努めなければならない。

⑵　対象建設工事の元請業者は，当該工事に係る特定建設資材廃棄物の再資源化等に着手する前に，当該工事の発注者に書面で報告しなければならない。
⑶　建設業を営む者は，建設資材廃棄物の再資源化により得られた建設資材を使用するよう努めなければならない。
⑷　建設業を営む者は，分別解体等及び建設資材廃棄物の再資源化等に要する費用を低減するよう努めなければならない。

解説

1．建設工事に係る資材の再資源化等に関する法律（建設リサイクル法）（P130）を参照してください。

⑴　［建設リサイクル法第6条（発注者の責務）第1項］
⑵　［建設リサイクル法第18条（発注者への報告等）第1項］
　当該工事に係る特定建設資材廃棄物の再資源化等が**完了したとき**に，その旨を当該工事の**発注者に書面で報告**します。
⑶　［建設リサイクル法第5条（建設業を営む者の責務）第2項］
⑷　［建設リサイクル法第5条（建設業を営む者の責務）第1項］

解答　⑵

建設工事に係る資材の再資源化等に関する法律（建設リサイクル法）に関する次の記述のうち，**適切でないもの**はどれか。
⑴　対象建設工事の元請業者は，当該工事に係る特定建設資材廃棄物の再資源化等に着手する前に，その旨を当該工事の発注者に書面で報告しなければならない。
⑵　特定建設資材を用いた建築物等に係る解体工事のうち，その建設工事の規模が一定の基準以上のものの受注者は，正当な理由がある場合を除き，分別解体等をしなければならない。
⑶　建設業を営む者は，建築物等の設計及びこれに用いる建設資材の選択，建設工事の施工方法等を工夫することにより，建設資材廃棄物の発生を抑制するよう努めなければならない。

(4) 特定建設資材としては，コンクリート，コンクリート及び鉄から成る建設資材，木材，アスファルト・コンクリートが定められている。

解 説

1．建設工事に係る資材の再資源化等に関する法律（建設リサイクル法）（P130）を参照してください。

(1) 問題87 の 解 説 (2)を参照してください。

(2) ［建設リサイクル法第９条（分別解体等実施義務）第１項］

(3) ［建設リサイクル法第５条（建設業を営む者の責務）第１項］

(4) ［建設リサイクル法施行令第１条（特定建設資材）第１項］

解答 (1)

建設工事に係る資材の再資源化等に関する法律（建設リサイクル法）における特定建設資材に**該当しないもの**は，次のうちどれか。

(1) コンクリート及び鉄から成る建設資材

(2) 木材

(3) 建設発生土

(4) アスファルト・コンクリート

解 説

問題88 の 解 説 (4)を参照してください。特定建設資材に該当しないものは，**(3)の建設発生土**です。

解答 (3)

廃棄物の処理及び清掃に関する法律上，建設業に係る廃棄物で工作物の新築，改築又は除去に伴って生じた次のもののうち，**産業廃棄物でないもの**はどれか。

(1) 紙くず

(2) 木くず

(3)　繊維くず
(4)　建設発生土

解説

［廃棄物の処理及び清掃に関する法律施行令第２条（産業廃棄物）第１項］（P132）を参照してください。産業廃棄物に該当しないものは，**(4)の建設発生土**です。

解答　(4)

廃棄物の処理及び清掃に関する法律上，産業廃棄物に**該当しないもの**は，次のうちどれか。
(1)　建設残土
(2)　汚泥
(3)　燃え殻
(4)　廃油

解説

［廃棄物の処理及び清掃に関する法律第２条（定義）第４項］（P131）を参照してください。産業廃棄物に該当しないものは，**(1)の建設残土**です。

解答　(1)

資源の有効な利用の促進に関する法律に定められている**建設業の指定副産物でないもの**は，次のうちどれか。
(1)　木材
(2)　コンクリート塊
(3)　アスベスト塊
(4)　アスファルト・コンクリート塊

解 説

［リサイクル法施行令第７条（指定副産物）第１項］（P132）を参照してください。建設業の指定副産物に該当しないものは，⑶の**アスベスト塊**です。

解答　⑶

特定建設資材と指定副産物

特定建設資材	指定副産物
・コンクリート ・コンクリート及び鉄から成る建設資材 ・木材 ・アスファルト・コンクリート	・土砂 ・コンクリートの塊 ・アスファルト・コンクリートの塊 ・木材

問題93 出る 出る

振動規制法に規定する特定建設作業の**対象とならない建設機械**は，次のうちどれか。ただし，当該作業は，その作業を開始した日に終わるものを除くとともに，作業地点が連続的に移動する作業にあっては，１日における２地点間の最大距離が 50 m を超えないものとする。

⑴　ディーゼルハンマ
⑵　ジャイアントブレーカ
⑶　ブルドーザ
⑷　舗装版破砕機

解 説

［振動規制法施行令別表第２（第２条関係）］（P133）を参照してください。特定建設作業の対象とならない建設機械は，⑶の**ブルドーザ**です。

解答　⑶

17 労働基準法

要点の整理と理解

1. 労働契約・賃金

労働契約・賃金に関する主な条文

労働基準法	項	概　要
第1条 （労働条件の原則）	2.	この法律で定める労働条件の基準は最低のものであるから，労働関係の当事者は，この基準を理由として労働条件を低下させてはならないことはもとより，その向上を図るように努めなければならない。
第2条 （労働条件の決定）	2.	労働者及び使用者は，労働協約，就業規則及び労働契約を遵守し，誠実に各々その義務を履行しなければならない。
第3条 （均等待遇）	1.	使用者は，労働者の国籍，信条又は社会的身分を理由として，賃金，労働時間その他の労働条件について，差別的取扱をしてはならない。
第4条 （男女同一賃金の原則）	1.	使用者は，労働者が女性であることを理由として，賃金について，男性と差別的取扱いをしてはならない。
第5条 （強制労働の禁止）	1.	使用者は，暴行，脅迫，監禁その他精神又は身体の自由を不当に拘束する手段によって，労働者の意思に反して労働を強制してはならない。
第7条 （公民権行使の保障）	1.	使用者は，労働者が労働時間中に，選挙権その他公民としての権利を行使し，又は公の職務を執行するために必要な時間を請求した場合においては，拒んではならない。但し，権利の行使又は公の職務の執行に妨げがない限り，請求された時刻を変更することができる。
第15条 （労働条件の明示）	1.	使用者は，**労働契約の締結**に際し，労働者に対して賃金，労働時間その他の労働条件を明示しなければならない。この場合において，賃金及び労働時間に関する事項その他の厚生労働省令で定める事項については，厚生労働省令で定める方法により明示しなければならない。

労働基準法	項	概　要
第 16 条 （賠償予定の禁止）	1．	使用者は，労働契約の不履行について違約金を定め，又は損害賠償額を予定する契約をしてはならない。
第 17 条 （前借金相殺の禁止）	1．	使用者は，前借金その他労働することを条件とする前貸しの債権と賃金を相殺してはならない。
第 19 条 （解雇制限）	1．	使用者は，労働者が業務上負傷し，又は疾病にかかり療養のために休業する期間及びその後 30 日間並びに産前産後の女性が第 65 条の規定によって休業する期間及びその後 30 日間は，解雇してはならない。ただし，使用者が，第 81 条の規定によって打切補償を支払う場合又は天災事変その他やむを得ない事由のために事業の継続が不可能となった場合においては，この限りでない。
	2．	前項ただし書後段の場合においては，その事由について行政官庁の認定を受けなければならない。
第 20 条 （解雇の予告）	1．	使用者は，労働者を解雇しようとする場合においては，少なくとも 30 日前にその予告をしなければならない。30 日前に予告をしない使用者は，30 日分以上の平均賃金を支払わなければならない。但し，天災事変その他やむを得ない事由のために事業の継続が不可能となった場合又は労働者の責に帰すべき事由に基いて解雇する場合においては，この限りでない。
第 24 条 （賃金の支払）	1．	賃金は，通貨で，直接労働者に，その全額を支払わなければならない。
	2．	賃金は，毎月 1 回以上、一定の期日を定めて支払わなければならない。
第 25 条 （非常時払）	1．	使用者は，労働者が出産，疾病，災害その他厚生労働省令で定める非常の場合の費用に充てるために請求する場合においては，支払期日前であっても，既往の労働に対する賃金を支払わなければならない。
第 27 条 （出来高払制の保障給）	1．	出来高払制その他の請負制で使用する労働者については，使用者は，労働時間に応じ一定額の賃金の保障をしなければならない。

2．労働時間，休憩，休日及び年次有給休暇

労働時間，休憩，休日及び年次有給休暇に関する主な条文

労働基準法	項	概　要
第32条（労働時間）	1．	使用者は，労働者に，休憩時間を除き1週間について40時間を超えて，労働させてはならない。
	2．	使用者は，1週間の各日については，労働者に，休憩時間を除き1日について8時間を超えて，労働させてはならない。
第33条（災害等による臨時の必要がある場合の時間外労働等）	1．	災害その他避けることのできない事由によって，臨時の必要がある場合においては，使用者は，行政官庁の許可を受けて，その必要の限度において第32条から前条まで若しくは第40条の労働時間を延長し，又は第35条の休日に労働させることができる。ただし，事態急迫のために行政官庁の許可を受ける暇がない場合においては，事後に遅滞なく届け出なければならない。
第34条（休　憩）	1．	使用者は，労働時間が6時間を超える場合においては少なくとも45分，8時間を超える場合においては少なくとも1時間の休憩時間を労働時間の途中に与えなければならない。
	2．	前項の休憩時間は，一斉に与えなければならない。ただし，当該事業場に，労働者の過半数で組織する労働組合がある場合においてはその労働組合，労働者の過半数で組織する労働組合がない場合においては労働者の過半数を代表する者との書面による協定があるときは，この限りでない。
	3．	使用者は，第1項の休憩時間を自由に利用させなければならない。
第35条（休　日）	1．	使用者は，労働者に対して，毎週少なくとも1回の休日を与えなければならない。
	2．	前項の規定は，4週間を通じ4日以上の休日を与える使用者については適用しない。

労働基準法	項	概　要
第36条 （時間外及び休日の労働）	1.	使用者は，当該事業場に，労働者の過半数で組織する労働組合がある場合においてはその労働組合，労働者の過半数で組織する労働組合がない場合においては労働者の過半数を代表する者との書面による協定をし，厚生労働省令で定めるところによりこれを行政官庁に届け出た場合においては，第32条から第32条の5まで若しくは第40条の労働時間又は前条の休日に関する規定にかかわらず，その協定で定めるところによって労働時間を延長し，又は休日に労働させることができる。
第37条 （時間外，休日及び深夜の割増賃金）	4.	使用者が，午後10時から午前5時までの間において労働させた場合においては，その時間の労働については，通常の労働時間の賃金の計算額の2割5分以上の率で計算した割増賃金を支払わなければならない。
第38条 （時間計算）	2.	坑内労働については，労働者が坑口に入った時刻から坑口を出た時刻までの時間を，休憩時間を含め労働時間とみなす。但し，この場合においては，第34条第2項及び第3項の休憩に関する規定は適用しない。
第39条 （年次有給休暇）	1.	使用者は，その雇入れの日から起算して6箇月間継続勤務し全労働日の8割以上出勤した労働者に対して，継続し，又は分割した10労働日の有給休暇を与えなければならない。

3. 年少者の就業

年少者の就業に関する主な条文

労働基準法	項	概　要
第56条 （最低年齢）	1.	使用者は，児童が満15歳に達した日以後の最初の3月31日が終了するまで，これを使用してはならない。
第59条	1.	未成年者は，独立して賃金を請求することができる。親権者又は後見人は，未成年者の賃金を代って受け取ってはならない。

労働基準法	項	概　要
第 62 条 （危険有害業務の就業制限）	1．	使用者は，満 18 に満たない者に，運転中の機械若しくは動力伝導装置の危険な部分の掃除，注油，検査若しくは修繕をさせ，運転中の機械若しくは動力伝導装置にベルト若しくはロープの取付け若しくは取りはずしをさせ，動力によるクレーンの運転をさせ，その他厚生労働省令で定める危険な業務に就かせ，又は厚生労働省令で定める重量物を取り扱う業務に就かせてはならない。
第 63 条 （坑内労働の禁止）	1．	使用者は，満 18 才に満たない者を坑内で労働させてはならない。

年少者労働基準規則の主な条文

年少者労働基準規則	項	概　要
第 7 条 （重量物を取り扱う業務）	1．	法第 62 条第 1 項の厚生労働省令で定める重量物を取り扱う業務は，次の表の左欄に掲げる年齢及び性の区分に応じ，それぞれ同表の右欄に掲げる重量以上の重量物を取り扱う業務とする

年齢及び性		重量（kg）	
		断続作業の場合	継続作業の場合
満 16 歳未満	女	12	8
	男	15	10
満 16 歳以上 満 18 歳未満	女	25	15
	男	30	20

年少者労働基準規則	項	概　要
第8条 （年少者の就業制限の業務の範囲）	1．	法第62条第1項の厚生労働省令で定める危険な業務及び同条第2項の規定により満18歳に満たない者を就かせてはならない業務は，次の各号に掲げるものとする。 三．クレーン，デリック又は揚貨装置の運転の業務 九．運転中の原動機又は原動機から中間軸までの動力伝導装置の掃除，給油，検査，修理又はベルトの掛換えの業務 十．クレーン，デリック又は揚貨装置の玉掛けの業務（2人以上の者によって行う玉掛けの業務における補助作業の業務を除く。） 二十五．足場の組立，解体又は変更の業務（地上又は床上における補助作業の業務を除く。）

4．災害補償

災害補償に関する主な条文

労働基準法	項	概　要
第75条 （療養補償）	1．	労働者が業務上負傷し，又は疾病にかかった場合においては，使用者は，その費用で必要な療養を行い，又は必要な療養の費用を負担しなければならない。
第76条 （休業補償）	1．	労働者が前条の規定による療養のため，労働することができないために賃金を受けない場合においては，使用者は，労働者の療養中平均賃金の100分の60の休業補償を行わなければならない。
第77条 （障害補償）	1．	労働者が業務上負傷し，又は疾病にかかり，治った場合において，その身体に障害が存するときは，使用者は，その障害の程度に応じて，平均賃金に別表第2に定める日数を乗じて得た金額の障害補償を行わなければならない。
第83条 （補償を受ける権利）	1． 2．	補償を受ける権利は，労働者の退職によって変更されることはない。 補償を受ける権利は，これを譲渡し，又は差し押えてはならない。

試験によく出る問題

労働基準法に関する次の記述のうち，**適切でないもの**はどれか。

⑴　使用者は，労働契約の締結に際し，労働者に対して賃金，労働時間その他の労働条件を明示しなければならない。

⑵　使用者は，前借金その他労働することを条件とする前貸しの債権と賃金を相殺してはならない。

⑶　使用者は，出来高払制その他請負制で使用する労働者については，労働時間にかかわらず一定額の賃金の保障をしなければならない。

⑷　使用者は，原則として，午後10時から午前5時までの間において労働させた場合においては，その時間の労働については，通常の労働時間の賃金の計算額の2割5分以上の率で計算した割増賃金を支払わなければならない。

解説

⑴　［労働基準法第15条（労働条件の明示）第1項］

⑵　［労働基準法第17条（前借金相殺の禁止）第1項］

⑶　［労働基準法第27条（出来高払制の保障給）第1項］

出来高払制その他の請負制で使用する労働者については，**労働時間に応じて**，一定額の賃金の保障をしなければならないです。

⑷　［労働基準法第37条（時間外，休日及び深夜の割増賃金）第4項］

解答　⑶

問題95

労働基準法における労働者の労働時間，休憩および休日に関する次の記述のうち，**適切でないもの**はどれか。

⑴　使用者は，労働協定に代え，労働者の同意を得た場合は，その労働者に対し他の労働者とは別の時間に休憩を与えることができる。

⑵　坑内労働については，労働者が坑口に入った時刻から坑口を出た時刻までの時間を，休憩時間を含め労働時間とみなす。

(3) 使用者は，労働者に対して，毎週少なくとも1回の休日を与えることに代えて，4週間を通じて4日以上の休日を与えることができる。

(4) 使用者は，労働者の過半数で組織する労働組合との協定により，法定の事項を定めたときは，定めた対象期間中の特定の週に，休憩時間を除き40時間を超えて労働させることができる。

解説

2．労働時間，休憩，休日及び年次有給休暇（P140）を参照してください。

(1) ［労働基準法第34条（休憩）第2項］

原則として，**休憩時間は一斉に与えなければならない**ですが，**労働組合**や労働者の過半数を代表する者との**書面による協定**がある場合は，一斉に与えなくてもよいです。

(2) ［労働基準法第38条（時間計算）第2項］

(3) ［労働基準法第35条（休日）第2項］

(4) ［労働基準法第36条（時間外及び休日の労働）第1項］

解答 (1)

問題96 出る 出る 出る

労働基準法上，労働時間等に関する次の記述のうち，**適切でないもの**はどれか。

(1) 使用者は，原則として，労働者に，休憩時間を除き1週間について40時間を超えて労働させてはならない。

(2) 使用者は，災害その他避けることのできない事由によって，臨時の必要があり，行政官庁に事前に届け出た場合においては，労働時間を延長することができる。

(3) 使用者は，原則として，労働者に対して，4週間を通じ4日以上の休日を与える場合を除き，毎週少なくとも1回の休日を与えなければならない。

(4) 使用者は，雇入れの日から起算して6箇月間継続勤務し，全労働日の8割以上出勤した労働者（所定労働日数が少ないパートタイム労働者等を除く。）に対して，継続し，又は分割した10労働日の有給休暇を与えなければならない。

解説

2．労働時間，休憩，休日及び年次有給休暇（P140）を参照してください。

(1) ［労働基準法第 32 条（労働時間）第 1 項］

(2) ［労働基準法第 33 条（災害等による臨時の必要がある場合の時間外労働等）第 1 項］

災害その他避けることのできない事由によって，臨時の必要がある場合は，**行政官庁の許可**を受けて**労働時間を延長**することができます。

(3) ［労働基準法第 35 条（休日）第 1 項］

(4) ［労働基準法第 39 条（年次有給休暇）第 1 項］

解答 (2)

労働基準法上，災害補償に関する次の記述のうち，**適切でないもの**はどれか。ただし，労働者災害補償保険による免責については，考えないものとする。

(1) 使用者は，労働者が業務上負傷した場合，その費用で必要な療養を行い，又は必要な療養の費用を負担しなければならない。

(2) 使用者は，労働者が業務上負傷して治った場合において，その身体に障害が存するときは，その障害の程度に応じて，障害補償を行わなければならない。

(3) 使用者は，労働者の災害補償を受ける権利を差し押さえてはならない。

(4) 使用者は，業務上負傷した労働者に対し，労働者の療養中平均賃金の全額を休業補償として支払わなければならない。

解説

4．災害補償（P143）を参照してください。

(1) ［労働基準法第 75 条（療養補償）第 1 項］

(2) ［労働基準法第 77 条（障害補償）第 1 項］

(3) ［労働基準法第 83 条（補償を受ける権利）第 2 項］

(4) ［労働基準法第 76 条（休業補償）第 1 項］

業務上負傷した労働者に対しては，労働者の療養中平均賃金の**100分の60の休業補償**を支払わなければならないです。

解答 (4)

労働基準法上，年少者の就業に関する次の記述のうち，**適切でないもの**はどれか。

(1) 使用者は，原則として，児童が満15歳に達した日以後の最初の3月31日が終了するまで，これを使用してはならない。

(2) 使用者は，満16歳以上満18歳未満の男性を40 kgの重量物を取り扱う作業に就かせることができる。

(3) 使用者は，満18歳に満たない者を，2人以上の者によって行うクレーンの玉掛けの業務における補助作業に就かせることができる。

(4) 使用者は，満18歳に満たない者を，床上における足場の組立の補助作業に就かせることができる。

解 説

3．年少者の就業（P141）を参照してください。

(1) ［労働基準法第56条（最低年齢）第1項］

(2) ［年少者労働基準規則第7条（重量物を取り扱う業務）第1項］

満16歳以上満18歳未満の男性の場合，**断続作業**で**30kg以上**，**継続作業**で**20 kg以上**の重量物を取り扱う作業には，就かせることができないです。

(3) ［年少者労働基準規則第8条（年少者の就業制限の業務の範囲）第1項第十号］

(4) ［年少者労働基準規則第8条（年少者の就業制限の業務の範囲）第1項第二十五号］

解答 (2)

18 労働安全衛生法

要点の整理と理解

1．作業主任者を選任すべき作業

作業主任者に関する主な条文

労働安全衛生法	項	概　要
第14条 （作業主任者）	1．	事業者は，高圧室内作業その他の労働災害を防止するための管理を必要とする作業で，政令で定めるものについては，都道府県労働局長の免許を受けた者又は都道府県労働局長の登録を受けた者が行う技能講習を修了した者のうちから，厚生労働省令で定めるところにより，当該作業の区分に応じて，作業主任者を選任し，その者に当該作業に従事する労働者の指揮その他の厚生労働省令で定める事項を行わせなければならない。

作業主任者を選任すべき作業に関する主な条文

労働安全衛生法施行令	項	概　要
第6条 （作業主任者を選任すべき作業）	1．	法第14条の政令で定める作業は，次のとおりとする。 十．土止め支保工の切りばり又は腹起こしの取付け又は取り外しの作業 十四．型枠支保工の組立て又は解体の作業 十五．つり足場（ゴンドラのつり足場を除く。以下同じ。），張出し足場又は高さが5 m以上の構造の足場の組立て，解体又は変更の作業 十五の五．コンクリート造の工作物（その高さが5 m以上であるものに限る。）の解体又は破壊の作業

作業主任者の選任が不要な作業

・擁壁コンクリートの打設作業
・アスファルト舗装の舗設作業
・既製コンクリート杭の杭打ち作業

2．計画の届出等

計画の届出等に関する主な条文

労働安全衛生法	項	概　要
第88条 （計画の届出等）	3．	事業者は，建設業その他政令で定める業種に属する事業の仕事で，厚生労働省令で定めるものを開始しようとするときは，その計画を当該仕事の開始の日の14日前までに，厚生労働省令で定めるところにより，労働基準監督署長に届け出なければならない。

届出が必要な主な仕事

労働安全衛生規則	項	概　要
第90条	1．	法第88条第3項の厚生労働省令で定める仕事は，次のとおりとする 一．高さ31mを超える建築物又は工作物（橋梁を除く。）の建設，改造，解体又は破壊（以下「建設等」という。）の仕事 二．最大支間50m以上の橋梁の建設等の仕事 三．ずい道等の建設等の仕事（ずい道等の内部に労働者が立ち入らないものを除く。） 四．掘削の高さ又は深さが10m以上である地山の掘削（ずい道等の掘削及び岩石の採取のための掘削を除く。）の作業（掘削機械を用いる作業で，掘削面の下方に労働者が立ち入らないものを除く。）を行う仕事 五．圧気工法による作業を行う仕事 五の二．建築物，工作物又は船舶（鋼製の船舶に限る。）に吹き付けられている石綿等（石綿等が使用されている仕上げ用塗り材を除く。）の除去，封じ込め又は囲い込みの作業を行う仕事

3. 労働者の就業に当たっての措置

特別教育・就業制限に関する主な条文

労働安全衛生法	項	概要
第59条（安全衛生教育）	3.	事業者は，危険又は有害な業務で，厚生労働省令で定めるものに労働者をつかせるときは，厚生労働省令で定めるところにより，当該業務に関する安全又は衛生のための 特別の教育 を行なわなければならない。
第61条（就業制限）	1.	事業者は，クレーンの運転その他の業務で，政令で定めるものについては，都道府県労働局長の当該業務に係る 免許を受けた者 又は都道府県労働局長の登録を受けた者が行う当該業務に係る 技能講習を修了した者 その他厚生労働省令で定める資格を有する者でなければ，当該業務に就かせてはならない。

労働安全衛生規則と労働安全衛生法施行令

労働安全衛生規則	項	概要
第36条（特別教育を必要とする業務）	1.	法第59条第3項の厚生労働省令で定める危険又は有害な業務は，次のとおりとする。 五．最大荷重1t未満のフォークリフトの運転（道路上を走行させる運転を除く。）の業務 五の三．最大積載量が1t未満の不整地運搬車の運転（道路上を走行させる運転を除く。）の業務 九．機体重量が3t未満の令別表第7第一号，第二号，第三号又は第六号に掲げる機械で，動力を用い，かつ，不特定の場所に自走できるものの運転（道路上を走行させる運転を除く。）の業務 十．令別表第7第四号に掲げる機械で，動力を用い，かつ，不特定の場所に自走できるものの運転（道路上を走行させる運転を除く。）の業務 十の五．作業床の高さが10m未満の高所作業車の運転（道路上を走行させる運転を除く。）の業務

労働安全衛生法施行令	項	概　要
		十六. つり上げ荷重が1t未満の移動式クレーンの運転（道路上を走行させる運転を除く。）の業務
第20条（就業制限に係る業務）	1.	法第61条第1項の政令で定める業務は，次のとおりとする。 七. つり上げ荷重が1t以上の移動式クレーンの運転（道路上を走行させる運転を除く。）の業務 十一. 最大荷重が1t以上のフォークリフトの運転（道路上を走行させる運転を除く。）の業務 十二. 機体重量が3t以上の令別表第7第一号，第二号，第三号又は第六号に掲げる建設機械で，動力を用い，かつ，不特定の場所に自走することができるものの運転（道路上を走行させる運転を除く。）の業務 十四. 最大積載量が1t以上の不整地運搬車の運転（道路上を走行させる運転を除く。）の業務 十五. 作業床の高さが10m以上の高所作業車の運転（道路上を走行させる運転を除く。）の業務

労働安全衛生法施行令別表第7

労働安全衛生法施行令別表第7（抜粋）	
一. 整地・運搬・積込み用機械	ブルドーザ，モータグレーダ，トラクタショベル（ローダ），スクレーパ，スクレープドーザ
二. 掘削用機械	パワーショベル，ドラグライン，クラムシェル，バケット掘削機
三. 基礎工事用機械	アースドリル，アースオーガ
四. 締固め用機械	ローラ
五. コンクリート打設用機械	コンクリートポンプ車
六. 解体用機械	ブレーカ

締固め用機械のローラは，規模に関係なく特別教育で就かせることができます。

試験によく出る問題

問題99

労働安全衛生法上，作業主任者を選任すべき作業に**該当しないもの**は，次のうちどれか。

(1) 土止め支保工の切りばりの取付けの作業

(2) 場所打ち杭工法による鉄筋コンクリート杭の築造の作業

(3) コンクリートの打設に用いる型枠支保工の組立ての作業

(4) 張出し足場の組立ての作業

解 説

1．作業主任者を選任すべき作業（P148）を参照してください。

(1) ［労働安全衛生法施行令第６条（作業主任者を選任すべき作業）第１項第十号］

(2) **鉄筋コンクリート杭の築造の作業**は，作業主任者を選任すべき作業に**該当しない**です。

(3) ［労働安全衛生法施行令第６条（作業主任者を選任すべき作業）第１項第十四号］

(4) ［労働安全衛生法施行令第６条（作業主任者を選任すべき作業）第１項第十五号］

解答 (2)

問題100

労働安全衛生法上，作業主任者の**選任を要しない作業**は，次のうちどれか。

(1) 高さ５ｍのコンクリート造の工作物の解体の作業

(2) 型枠支保工の組立ての作業

(3) つり足場，張り出し足場を除く高さ２ｍの構造の足場の組立ての作業

(4) 土止め支保工の切りばりの取付けの作業

解説

1．作業主任者を選任すべき作業（P148）を参照してください。

(1) ［労働安全衛生法施行令第6条（作業主任者を選任すべき作業）第1項第十五の五号］

(2) **問題99** の 解説 (3)を参照してください。

(3) ［労働安全衛生法施行令第6条（作業主任者を選任すべき作業）第1項第十五号］**5m以上**の構造の足場の組立て作業の場合に該当します。

(4) **問題99** の 解説 (1)を参照してください。

解答 (3)

問題101 出る 出る 出る

安全衛生法上，事業者が建設業の仕事を開始しようとするときに，その計画を14日前までに労働基準監督署長に**届け出なければならない仕事**は次のうちどれか。

(1) 労働者が内部に立ち入らないずい道の建設の仕事

(2) 最大支間25mの橋梁の解体の仕事

(3) 圧気工法により作業を行う仕事

(4) 橋梁を除く，高さ25mの工作物の建設の仕事

解説

2．計画の届出等（P149）を参照してください。

(1) ［労働安全衛生規則第90条第1項第三号］
ずい道等の**内部に労働者が立ち入らない**ものは，届出が不要です。

(2) ［労働安全衛生規則第90条第1項第二号］
最大支間**50m以上**の場合に，届出が必要となります。

(3) ［労働安全衛生規則第90条第1項第五号］

(4) ［労働安全衛生規則第90条第1項第一号］
高さ**31mを超える**場合に，届出が必要となります。

解答 (3)

問題102

労働安全衛生法に基づき事業者がその計画を労働基準監督署長に**届け出なければならない仕事**は，次のうちどれか。

(1) 耐火建築物で石綿が吹き付けられているものにおける石綿の除去の作業を行う仕事

(2) 高さ 20 m の建築物の建設の仕事

(3) ずい道の建設の仕事であってずい道の内部に労働者が立ち入らないもの

(4) 最大支間が 25 m の橋梁の建設の仕事

解 説

2．計画の届出等（P149）を参照してください。

(1) ［労働安全衛生規則第 90 条第 1 項第五の二号］
石綿の除去の作業を行う仕事は，届出が必要です。

(2) 問題101 の 解 説 (4)を参照してください。

(3) 問題101 の 解 説 (1)を参照してください。

(4) 問題101 の 解 説 (2)を参照してください。

解答 (1)

問題103

労働安全衛生法上，事業者が労働者を危険又は有害な業務につかせるときに，当該業務に関する安全又は衛生のための特別の教育を**行わなければならない業務**は，次のうちどれか。ただし，道路上を走行させる運転業務を除く。

(1) 機体重量が 3 t 以上のブルドーザの運転の業務

(2) 機体重量が 3 t 以上のアースドリルの運転の業務

(3) 機体重量が 3 t 以上の締固め用のローラの運転の業務

(4) 作業床の高さが 10 m 以上の高所作業車の運転の業務

解 説

3．労働者の就業に当たっての措置（P150）を参照してください。

(1)，(2)　［労働安全衛生法施行令第 20 条第 1 項第十二号］

免許を受けた者又は**技能講習を修了した者**でなければ，就かせてはならない業務です。

(3)　［労働安全衛生規則第 36 条第 1 項第十号］

ローラの運転業務は，**特別教育を受けた者**で行うことができます。

(4)　［労働安全衛生規則第 61 条第 1 項第十号］

作業床の高さが **10 m 以上**の高所作業車の運転の業務は，**技能講習**が必要です。

解答　(3)

問題104　出る 出る 出る

労働安全衛生法上，機体重量が 3 t 以上の建設機械で，動力を用い，不特定の場所に自走できるものの運転業務を，当該建設機械に係る安全衛生特別教育を受けた者が**行うことができるもの**は，次のうちどれか。ただし，道路上の走行を除く。

(1)　ブルドーザ

(2)　パワーショベル

(3)　アースドリル

(4)　ローラ

解 説

3．労働者の就業に当たっての措置（P150）を参照してください。

(1)，(2)，(3)　［労働安全衛生法施行令第 20 条第 1 項第十二号］

ブルドーザ，パワーショベル，アースドリルの運転業務は，機体重量が 3 t 以上の場合，**技能講習**が必要です。

(4)　**問題103** の 解 説 (3)を参照してください。

ローラの運転業務は，**特別教育**を受けた者で行うことができます。

解答　(4)

第2章

トラクタ系建設機械

第1種［必須問題］

2－1　トラクタ系建設機械の基本事項

2－2　運転及び取扱い

2－3　施工方法及び作業能力

19 トラクタ系建設機械の諸元及び性能

要点の整理と理解

1. トラクタ系建設機械

トラクタ系建設機械

種　類	概　要
ブルドーザ	・トラクタに土工装置（ドーザ）を装備したもので，掘削，押土（運搬），敷均し，締固め等の作業に用いる。 ・硬い岩盤の破砕作業にはリッパを装着する。 ・**ホイール式**のものもあるが，一般的には**クローラ式**が使用される。
ローダ（トラクタショベル）	・トラクタにバケットを装備したもので，土砂，砂利，岩石等を掘削し，ダンプトラック等の運搬機械に積込む作業に用いる。 ・**ホイール式**と**クローラ式**が使用される。
スクレーパ	・トラクタでけん引して作業を行う**被けん引式スクレーパ**，自走できる**モータスクレーパ**，及びトラクタにスクレーパ機能を持たせた**スクレープドーザ**がある。 ・掘削，積込み，運搬，敷均しの作業を連続的に行うので大規模な土工作業に適している。
不整地運搬車	・クローラ上に荷台を装備したもので，ダンプトラック等が入れない不整地で使用される運搬車である。 ・**ホイール式**と**クローラ式**が使用される。

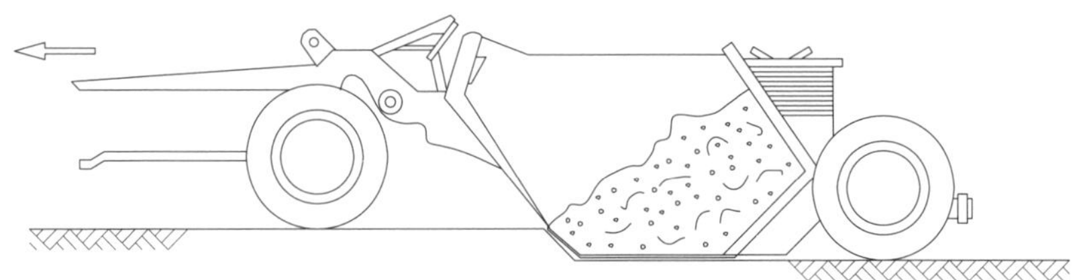

〔被けん引スクレーパ〕

2. トラクタの諸元

トラクタに関する主な用語

用　語	概　要
運転質量	・規定量の燃料，潤滑油，作動油及び冷却水，作業装置などを装備した本体に，乗員１名分（75 kg）及び携行工具を加えた質量。
最低地上高	・トラクタのほぼ中心線付近における最低部の地表面からの高さ。
接地長	・**スプロケット**またはリヤアイドラと**フロントアイドラ**の中心間の水平距離。
履帯(りたい)(クローラ)中心距離	・左右それぞれの履帯中心から履帯中心までの距離。
けん引力	・エンジン出力と無関係に，トラクタの質量と地盤条件（粘着係数）によって決まる。 ・けん引力 P ＝ μWg[N]　μ：粘着係数 W：トラクタの質量[kg] g：重力加速度[9.8 m/s^2] ・粘着係数μ：**クローラ式** 80〜90 %，**ホイール式** 50〜70 %
けん引出力	・トラクタがけん引作業をする場合に，エンジン出力が内部摩擦などにより消費される分を除いて有効に発揮できる出力。 ・**ダイレクトドライブ**：エンジン出力の約 80 % **トルコンパワーシフト**：エンジン出力の 60〜70 %
接地圧	・運転質量を左右のクローラの接地面積で除した値で，軟弱地におけるクローラ式トラクタの走破性能を示す目安となる。
登坂(とはん)能力	・建設機械が良好な状態を保ちながら、進行方向に登坂できる最大傾斜角度である。一般のクローラ式で 30 度。
走行速度	・運転質量の状態で，試験走路上を走行したときの平均速度。

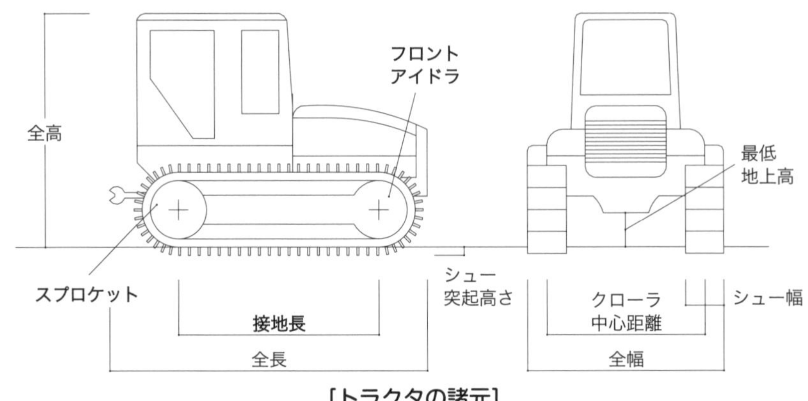

［トラクタの諸元］

試験によく出る問題

問題1 

トラクタの諸元及び性能に関する次の記述のうち，**適切でないもの**はどれか。

⑴　運転質量には，規定量の燃料，潤滑油，作動油及び冷却水，作業装置などを装備した本体の他，乗員及び携行工具の質量を含む。

⑵　けん引力は，エンジン出力が十分ある場合，トラクタ質量と地盤条件によって決まる。

⑶　接地圧は，不整地におけるクローラ式トラクタの燃費性能を示す目安となる。

⑷　接地長とは，スプロケットまたはリヤアイドラとフロントアイドラの中心間の水平距離をいう。

解説

2．トラクタの諸元（P159）を参照してください。

⑴　**本体質量**に，**乗員1名（75 kg）**及び**携行工具の質量**を加えたものが**運転質量**です。

(2)　**けん引力**は**トラクタ質量**と**地盤条件**によって決まり，履帯にスリップがない場合はトラクタ質量に比例します。

(3)　接地圧は，**不整地における**クローラ式トラクタの**走破（走り抜ける）性能**を示す目安となります。

(4)　**スプロケット**またはリヤアイドラと**フロントアイドラ**の**中心間の水平距離**を接地長といいます。

解答　(3)

問題2 

トラクタ系建設機械の諸元及び性能に関する次の記述のうち，**適切でないもの**はどれか。

(1)　登坂能力とは，建設機械が良好な状態を保ちながら，進行方向に登坂できる最大傾斜角度である。

(2)　接地長は，スプロケットまたはリヤアイドラとフロントアイドラの中心間の水平距離である。

(3)　接地圧は，運転質量と左右の接地長の積で求められる。

(4)　走行速度は，運転質量の状態で，試験走路上を走行したときの平均速度である。

解　説

2．トラクタの諸元（P159）を参照してください。

(1)　**登坂能力**とは，トラクタが**登坂できる最大能力**を表すもので，走行，制動装置の能力，エンジンの運転可能傾斜角度等によって定められています。一般に**クローラ**は **30 度**となっていますが，地盤条件によってはそれ以下の角度で滑りが発生する場合もあります。

(2)　**問題1** の 解　説 (4)を参照してください。

(3)　接地圧は，**運転質量**を左右のクローラの**接地面積**で**除して**求められます。

(4)　**走行速度**は，運転質量の状態で，トラクタが前進及び後退の角速度において，試験走路上を走行したときの，**個々の試験で記録された機械速度の平均値**です。

解答　(3)

ブルドーザの性能・諸元に関する次の記述のうち，**適切なもの**はどれか。

(1) 履帯中心距離は，車体中心から，左右いずれかの履帯中心までの距離である。

(2) けん引力は，履帯のスリップが少なければ機械質量に反比例する。

(3) リヤアイドラのない機体の接地長は，フロントアイドラとスプロケットの中心間の水平距離である。

(4) 接地圧は，機体の運転質量を一定とすると，履帯の接地面積に比例する。

解 説

(1) 履帯中心距離は，左右それぞれの**履帯の中心間の距離**です。

(2) **けん引力**は，履帯のスリップが少なければ**機械質量**に**比例**します。

(3) **問題1** の 解 説 (4)を参照してください。

(4) **接地圧**は，機体の運転質量を一定とすると，履帯の**接地面積**に**反比例**します。

解答 (3)

ブルドーザの諸元に関する次の記述のうち，**適切なもの**はどれか。

(1) 運転質量とは，燃料，潤滑油，作動油，冷却水，携行工具の質量を含む本体質量で，乗員の質量は含まない。

(2) 接地長とは，左右のフロントアイドラの中心間の距離である。

(3) 最低地上高とは，トラクタのほぼ中心線付近における最低部の地表面からの高さをいう。

(4) 接地圧とは，運転質量をクローラの接地面積で除した値を1.2倍したものである。

解 説

(1) **問題1** の 解 説 (1)を参照してください。

(2) **問題1** の 解 説 (4)を参照してください。

(3) **最低地上高**は，トラクタのほぼ中心線付近における**最低部の地表面からの高さ**です。

(4) **接地圧**とは，**運転質量**をクローラの**接地面積**で**除した値**で，1.2 倍はしないです。

$$接地圧（Pa）= \frac{運転質量（kg）\times 9.8（m/s^2）}{2 \times クローラシュー幅（m）\times 接地長（m）}$$

解答　(3)

問題5 出る 出る 出る

ブルドーザの性能に関する次の記述のうち，**適切でないもの**はどれか。

(1) 湿地ブルドーザは，クローラに広い接地面積を持たせて接地圧を下げ，軟弱地での作業性を改良したものである。

(2) 一般に登坂能力は 30 度程度であるが，施工地盤の条件によってこの角度に達しないうちにシューがすべり出すことがある。

(3) クローラ式トラクタのけん引力を計算する場合の，地盤と履帯との粘着係数は 80～90 %である。

(4) トルコンパワーシフト式ブルドーザが作業で発揮できるけん引出力は，エンジン出力の 90 %以上である。

解説

(1) **湿地ブルドーザ**は，クローラに**広い接地面積**をもたせることで接地圧を下げ，軟弱地盤の作業性を改良しています。

(2) **問題2** の 解説 (1)を参照してください。

(3) 粘着係数は，**クローラ式**で **80～90 %**，ホイール式で 50～70%です。

(4) **トルコンパワーシフト式**ブルドーザが作業で発揮できる**けん引出力**は，**エンジン出力**の **60～70 %程度**です。なお，**ダイレクトドライブ方式**の場合はエンジン出力の 80 %程度で，トルコンパワーシフト方式より，けん引出力が大きいです。

解答　(4)

20 トラクタ系建設機械の構造・機能

要点の整理と理解

1. ブルドーザの動力伝達装置

ブルドーザの構造は，エンジン，**動力伝達装置**，**足回り装置**，**作業装置**，附属装置（保護装置）の５種類の装置に大別できます。その中で**動力伝達装置**は，エンジンの高回転の動力を減速し低速高トルクに変換して作業装置や足回り装置に伝える役割があります。

理解しよう！

動力伝達装置の方式

方式		概要
ダイレクトドライブ方式		・主クラッチ及び歯車式変速装置から構成される。 ・始動，変速，前後進切替え時の動力の断続をクラッチで行う。 ・操作に熟練を要するが，動力伝達効率が高い。
パワーシフト方式	トルコンパワーシフト	・トルクコンバータとパワーシフトトランスミッション（油圧操作の変速装置）を組み合わせたもので操作性が良い。 ・ロックアップ機構により，一時的にダイレクトドライブと同様の働きをさせるものがある。 ・歯車や軸に衝撃を伝えないので負荷変動の大きい作業に有効である。
	ダイレクトパワーシフト	・機械式ダンパーとパワーシフトトランスミッションを組み合わせたもので，ダイレクトドライブ方式とパワーシフト方式の両方の良さを兼ね備えている。
ハイドロスタティックトランスミッション（HST）方式		・油圧ポンプと油圧モータによる無段変速駆動方式で，左右のクローラを別々に運転することができ，パワーターンやスピンターンが可能である。 ・操作性が良いので小型機の動力伝達装置に採用されている。

2. ブルドーザの足回り装置

ブルドーザの**足回り装置**は，左右のトラックフレームに取付けられた上部ローラ，下部ローラ，**フロントアイドラ**，緩衝(かんしょう)装置，クローラ張装置，クローラ，**イコライザバー**から構成されています。

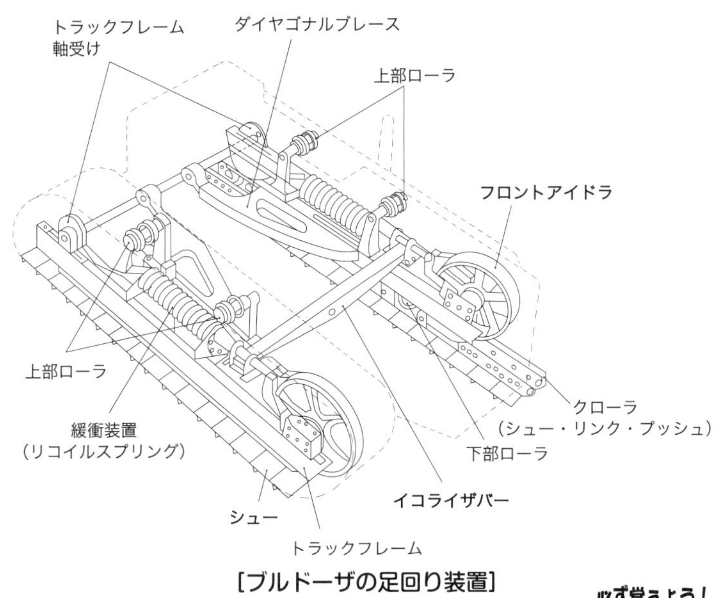

[ブルドーザの足回り装置]

動力伝達装置の方式

足回り装置	概　要
トラックフレーム	・上部ローラ（1～2個），下部ローラ（3～8個），前部にフロントアイドラが取り付けられている。
上部・下部ローラ	・上部ローラはクローラの垂れ下がりを防止し，下部ローラは本体の重量をクローラ上に分散させ，クローラの回転を正しく保持する。
フロントアイドラ	・トラックフレーム前部に取り付けられ，スプロケットによるクローラの回転を正しく保持する。 ・衝撃を吸収するために前後に摺動(しゅうどう)（すべって動く）する構造になっている。

イコライザバー	・不整地走行，障害物乗り越え，急停車などによる衝撃を緩和する。 ・走行中は左右のトラックフレームの上下運動に従って，中央取付け部を中心に揺れ動きながら緩衝を行い，左右のトラックフレームにかかる荷重を均等にする。
緩衝装置（リコイルスプリング）	・走行中，地面からの衝撃を緩衝するために，**フロントアイドラ**がトラックフレーム上を前後に動く構造で，クローラの張りを調整している。

3．ブルドーザの作業装置

ブレードの機能

機　能	概　要
アングル動作	Cフレームを介してトラックフレームに取付け，進行方向に対して左右25°に角度を変える動作。
チルト動作	左右のブレースの長さを変えることで，ブレードの左右端の高さを変える動作。
アングル・チルト動作	小型ブルドーザでは，アングル及びチルト動作が可能な**パワーアングル・チルトドーザ**が採用されている。
ストレートフレーム	左右のストレートフレームを介して，進行方向に対してブレード面を常に直角固定したもの。ストレートドーザ，Uドーザ，セミUドーザ，レーキドーザ，ツーウェイドーザなどがある。

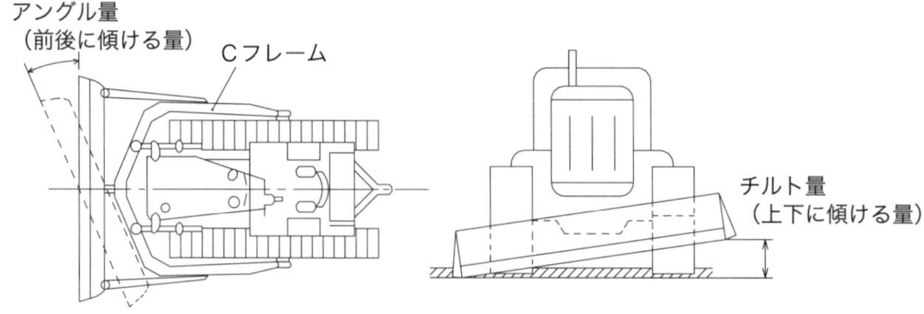

［アングル量とチルト量］

作業の適応性によるブルドーザの種類

種　類	概　要
ストレートドーザ	チルト動作を用いて硬い地盤の掘削など重作業に適している。大型機や湿地用に多い。
アングルドーザ	直線掘削押土やサイドカットも可能な汎用形（はんよう）である。ブレート幅が広いので重掘削には適さず，敷均し作業に適している。
Uドーザ	石炭など比重の軽いものを大量に処理する作業に適している。
レーキドーザ	原野を切り開く伐根作業に適している。
ツーウェイドーザ	前進，後進での作業に適している。船内の荷役作業に適している。

4．ホイールローダの構造・装置

ホイールローダの装置と概要

装　置	概　要
動力伝達装置	・小型機の動力伝達装置は，**ハイドロスタティックトランスミッション（HST）**方式が多い。 ・駆動装置は，大きな**けん引力**が必要なため全輪駆動方式が多い。 ・差動装置（**ディファレンシャル**）は前後軸に装着されており，旋回時の内外輪差を自動的に調節して旋回をスムーズにしている。 ・プロペラシャフトは，走行時の振動による角度変化に対応するため，両端の接続部分にはユニバーサルジョイントが採用されている。
揺動（オシレーション）機構	・不整地でのタイヤの空転を防止し，４輪が接地可能とする機構である。
制動装置	・通常作業に使用する常用ブレーキは，**ディスクブレーキ**による全輪制動式が多く採用されている。 ・常用ブレーキ，駐車ブレーキのほかに，油圧や空気圧が低下した場合に作動する非常用ブレーキを装備したものもある。 ・**ディファレンシャルロック装置**は，軟弱地において片側がスリップしたときに差動を制限してけん引力の低下を防ぐ。

装置		概要
走行振動吸収装置		・バケットで荷を高速で運搬するときに，車体の前後・上下の大きな揺れを低減させる装置である。 ・低速走行時より高速走行時に効果がある。
作業装置		・作業装置のリンク形状には，バケットが地上に水平に置かれているときに強い掘り起こし力を発揮する**Ｚバー形**のほか，フォーク作業に便利な平行リンク形などがある。 ・Ｚバー形の作業装置は，平行リンク形の作業装置に比べて掘起こし力が大きい。
	キックアウト装置	・バケットがあらかじめ決められた高さに達すると，自動的にリフト用コントロールレバーが保持の位置に戻る装置。
	バケットポジショナ装置	・地上の掘削面に対してバケットがあらかじめセットされた掘削角度になると，自動的にチルト用コントロールレバーが保持の位置に戻る装置
ステアリング装置		・ステアリング方式には，**アーティキュレート式**，後輪ステアリング式及びスキッドステア式があり，アーティキュレート式のものが主流となっている。 ・全輪ステアリング式は，ホイールローダでは採用されていない。 ・４輪を独立させて操向できる方式は採用されていないので，進行方向に対し車体を斜めにするクラブ走行はできない。 ・操作装置は，丸ハンドル式が一般的である。
	アーティキュレート式	・前後フレームのセンターピンを中心として車体を屈折させて操向することで、回転半径を小さくできる。
	後輪ステアリング式	・後輪に取付けた油圧シリンダを伸縮させて操向する。
	スキッドステアリング式	・左右の車軸を別々に動かすことでステアリングし，左右の車輪を相対的に逆転させるスピンターンが可能である。 ・狭い場所用に設計された機構である。

試験によく出る問題

問題6

ブルドーザの動力伝達装置に関する次の記述のうち，**適切でないもの**はどれか。

(1) ハイドロスタティックトランスミッション（HST）方式は，ダイレクトドライブ方式と比べて動力伝達効率が低い。

(2) トルコンパワーシフト方式は，ロックアップ機構により，一時的にダイレクトドライブと同様の働きをさせるものがある。

(3) ダイレクトドライブ方式は，ハイドロスタティックトランスミッション（HST）方式と比べて変速操作が容易である。

(4) ハイドロスタティックトランスミッション（HST）方式は，油圧ポンプと油圧モータによる駆動方式である。

解 説

1．ブルドーザの動力伝達装置（P164）を参照してください。

(1) **HST 方式**は，**ダイレクトドライブ方式**に比べて**動力伝達効率は低い**が**操作性は良い**です。

(2) **トルコンパワーシフト方式**には，油圧を介さずに直接エンジンの力をトランスミッション（変速装置）へ伝える**ロックアップ機構**により，一時的に**ダイレクトドライブと同様の働き**をさせるものがあります。

(3) **ダイレクトドライブ方式**は，HST 方式と比べて**変速操作に熟練を要します。**

(4) **HST 方式**は，油圧ポンプと油圧モータにより構成される**油圧駆動方式**で，負荷に関係なく任意の車速を選択することができます。

解答 (3)

問題7

ブルドーザの動力伝達装置に関する次の記述のうち，**適切でないもの**はどれか。

⑴　パワーシフトトランスミッションには，遊星歯車機構のものが多い。
⑵　ダイレクトドライブ方式は，トルコンパワーシフト方式より動力伝達効率が悪い。
⑶　ハイドロスタティックトランスミッション（HST）は，油圧ポンプと油圧モータにより構成される油圧駆動方式である。
⑷　エレクトリックドライブ方式はエンジンにより発電機を駆動し，電動モータでファイナルドライブを駆動する。

解説

1．ブルドーザの動力伝達装置（P164）を参照してください。
⑴　パワーシフトトランスミッションには，**遊星歯車機構**（ゆうせいはぐるまきこう）（太陽とそのまわりを回る惑星のように，１つの歯車に数個の歯車がかみ合わさってできているもの）のものが多いです。
⑵　**ダイレクトドライブ方式**は，トルコンパワーシフト方式より**動力伝達効率が良い**です。
⑶　ハイドロスタティックトランスミッション（HST）方式は，駆動装置に２組の独立した**油圧ポンプ**と**油圧モータ**を組み合わせた**無段変速油圧駆動方式**です。なお，油圧モータは，作動油の**圧力エネルギー**を機械的な**回転エネルギー**に変える装置です。
⑷　**エレクトリックドライブ方式**は，ディーゼルエンジンで**発電機を駆動**し，インバータを介して電動モータでクローラを駆動します。

解答　⑵

問題８　出る　出る　出る

ブルドーザの足回りの構造に関する次の記述のうち，**適切でないもの**はどれか。
⑴　イコライザバーは，左右のトラックフレームが上下に揺れ動かないように固定するためのものである。
⑵　トラックフレームには上部ローラ，下部ローラ，フロントアイドラが装着されている。
⑶　クローラの構造は，リンクにシューをボルトで取り付けたものが一般的で，リンクとリンクはピンとブッシュによって連結されている。

(4) フロントアイドラは，衝撃を吸収するために前後に摺動（すべって動く）する構造になっている。

解 説

2．ブルドーザの足回り装置（P165）を参照してください。

(1) **イコライザバー**は，左右の**トラックフレームの上下運動に従って**，中央取付け部を中心に**揺れ動きながら緩衝を行います**。

(2) トラックフレームには，上部ローラ（1～2個），下部ローラ（3～8個），**前部**に**フロントアイドラ**が取り付けられています。

(3) **クローラの構造**は，リンクの外周部に**シュー**をボルトで取り付けたものが一般的で，リンクとリンクはピンとブッシュによって連結されています。

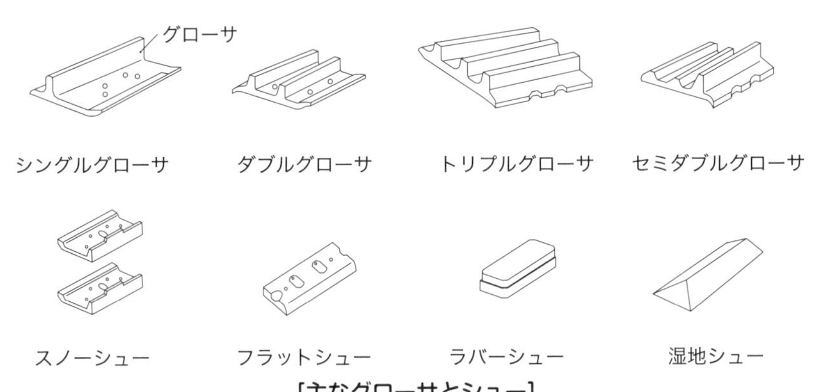

[主なグローサとシュー]

(4) **フロントアイドラ**はトラックフレーム**前部**に取り付けられ，衝撃を吸収するために**前後に摺動する**構造になっています。

解答 (1)

問題9 出る 出る 出る

ブルドーザの足回り装置に関する次の記述のうち，**適切なもの**はどれか。

(1) イコライザバーは，走行による衝撃を緩和するもので，中央部にブルドーザ本体の後部重量がかかっている。

(2) 上部ローラは，クローラの垂れ下がりを防止し，下部ローラは本体の重量をクローラ上に分散させる。

⑶　フロントアイドラは，ブルドーザ本体の後部に取り付けられ，クローラに回転力を伝達する。
⑷　イコライザバーは，ピンとブッシュで連結された組立式リンクにシューを取り付けた構造のものが多い。

解説

2．ブルドーザの足回り装置（P165）を参照してください。
⑴　**イコライザバー**は，走行による衝撃を緩和するもので，左右のトラックフレームにかかる**荷重を均等**にします。
⑵　**上部ローラ**はクローラの**垂れ下がりを防止**し，**下部ローラ**は本体の重量を**クローラ上に分散**させ，クローラの回転を正しく保持します。
⑶　**問題8** の 解説 ⑷を参照してください。
　フロントアイドラは，ブルドーザ本体の**前部に**取り付けられます。
⑷　ピンとブッシュで連結された組立式リンクにシューを取り付けた構造のものは，**クローラリンク**です。

解答　⑵

問題10　出る 出る 出る

各種のブルドーザ及び作業装置に関する次の記述のうち，**適切でないもの**はどれか。
⑴　小型ブルドーザでは，油圧シリンダでアングル・チルト操作を行うパワーアングルチルトドーザが普及している。
⑵　リッパには，ジャイアントリッパと複数のシャンクを持つマルチシャンクリッパがある。
⑶　ツーウェイドーザは，硬い地盤の掘削押土に適している。
⑷　Ｕドーザは，比重の軽いものを大量に処理する作業に適している。

解説

3．ブルドーザの作業装置（P166）を参照してください。
⑴　小型ブルドーザでは，アングル動作やチルト動作が可能な**パワーアングルチルトドーザ**が広く採用されています。

(2)　**1本爪**の**ジャイアントリッパ**は硬岩重掘削用として，**複数の爪**をもつ**マルチシャンクリッパ**は軟岩用として用いられます。
(3)　**ツーウェイドーザ**は，**前進，後進での作業**が必要な船内の荷役作業に適しています。なお，**硬い地盤の掘削押土**には**ストレートドーザ**が適しています。
(4)　**Uドーザ**は，石炭など比重の**軽いものを大量に処理する作業**に適しています。

解答　(3)

ホイールローダの構造に関する次の記述のうち，**適切でないもの**はどれか。
(1)　駆動装置は，ほとんどが後輪駆動方式である。
(2)　走行，ステアリング，作業装置を同時に操作できるよう，エンジン動力の配分制御がなされている。
(3)　常用ブレーキ装置の他に駐車ブレーキ装置を備え，さらに非常時に作動するブレーキ装置を備えたものもある。
(4)　不整地でタイヤが浮いて空転するのを防ぐため，後車軸の両端が上下に揺動する構造となっているものが多い。

解　説

4．ホイールローダの構造・装置（P167）を参照してください。
(1)　不整地で使用されることが多く，大きなけん引力が要求されるため，ほとんどが**全輪駆動式**です。
(2)　**エンジン動力の配分制御**を行うことで，走行，ステアリング，作業装置を同時に操作することができます。
(3)　油圧や空気圧が低下した場合でも自動的に作動する**非常ブレーキ装置**を備えたものもあります。
(4)　不整地でタイヤが浮いて空転するのを防ぐため，**揺動（オシレーション）機構**が後車軸に装備されています。

解答　(1)

問題12 出る 出る 出る

ホイールローダの構造に関する次の記述のうち，**適切でないもの**はどれか。

⑴　大型機では，トルクコンバータとパワーシフトトランスミッションを組み合わせたトルコンパワーシフト方式が多い。

⑵　差動装置（ディファレンシャル）は前車軸と後車軸の間に装着されており，前後輪の回転数の差を調節している。

⑶　ディファレンシャルロック装置は，軟弱地において片側がスリップしたときに差動を制限してけん引力の低下を防ぐ。

⑷　アーティキュレート式は，後輪ステアリング式に比べてホイールベースが同じでも旋回半径を小さくできる。

解 説

４．ホイールローダの構造・装置（P167）を参照してください。

⑴　中・大型機は**トルコンパワーシフト方式**，小型機の多くは**ハイドロスタティックトランスミッション（HST）方式**の動力伝達装置を搭載しています。

⑵　**差動装置（ディファレンシャル）**は**前後軸に装着**されており，旋回時の**内外輪差を自動的に調節**して旋回をスムーズにしています。

⑶　軟弱地で片輪がスリップした場合のけん引力低下を防止するため，差動を制限する**ディファレンシャルロック**を装備したものもあります。

⑷　**アーティキュレート式**は，回転半径を小さく，前後輪がほぼ同じ軌跡を通るため，軟弱地の走行に適しています。

解答　⑵

問題13 出る 出る 出る

ホイールローダの作業装置に関する次の記述のうち，**適切なもの**はどれか。

⑴　バケットポジショナ装置は，バケットが決められた高さになるとリフトレバーを自動的に「保持」位置に戻す。

⑵　キックアウト装置は，バケットが決められた掘削角度になるとチルトレバーを自動的に「保持」位置に戻す。

⑶　平行リンク形の作業装置は，Ｚバー形の作業装置に比べて掘起こし力が大きい。

(4) 走行振動吸収装置は，走行中の車体前後の大きな揺れを低減させる。

解説

4．ホイールローダの構造・装置（P167）を参照してください。

(1) **バケットポジショナ装置**は，地上の掘削面に対してバケットがあらかじめセットされた**掘削角度になると**，自動的にチルト用コントロールレバーが保持の位置に戻る装置です。

(2) **キックアウト装置**は，バケットがあらかじめ決められた**高さに達すると**，自動的にリフト用コントロールレバーが保持の位置に戻る装置です。

(3) 平行リンク形の作業装置は，**Ｚバー形**の作業装置に比べて掘起こし力が**小さい**です。

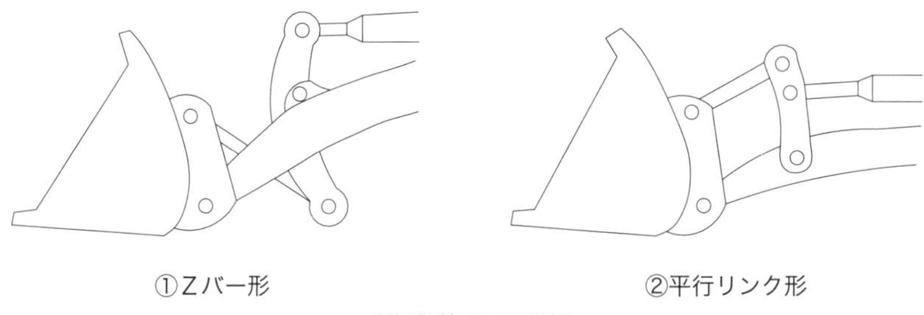

［作業装置の形状］

(4) **走行振動吸収装置**は，バケットで荷を**高速で運搬する場合**に，車体の**前後・上下の大きな揺れを低減**させる装置です。低速走行時より高速走行時に効果があります。

解答 (4)

21 点検・整備と運転・取扱い

要点の整理と理解

1. 点検・整備の注意事項

点検・整備時の主な注意事項	
①	定期点検・整備は，指定されたサービスメータの時間または経過日数のどちらかが指定された時期に達したら実施する。
②	各種オイル類の点検や給油は，機械を水平な場所に置いて実施する。
③	給油や補油は，同一銘柄，同一品質のものを使用する。オイルの交換は油温が高いほど容易に排出できるが，エンジン停止直後５分以上たってから実施する。
④	油量は適量範囲になるようにする。また，油量の点検は，エンジン停止直後，５分以上たってから実施する。
⑤	点検や整備中は作業装置を接地させて行い，やむを得ず上げたまま点検や整備を行う場合は落下防止の措置を講ずる。
⑥	作業装置等の不意の落下に備え，点検・整備中はエンジンを停止して実施する。
⑦	エンジン停止直後は，ラジエータ及び作動油タンクのキャップを開けないようにする。
⑧	毎月の定期点検・整備では，毎日・毎週の定期点検・整備で実施した項目や摩耗した部品の交換も実施する。
⑨	エンジン潤滑油，トランスミッションケース油，冷却水の量及び漏れの点検・整備は，それぞれ毎日実施する。
⑩	時間の経過とともに徐々に進行する故障を発見した場合は，直ちに修理する。
⑪	電気系統の点検・整備は，ショートを防止するためバッテリ端子を外してから行う。
⑫	エンジンの点検は，始動前と始動後の点検項目について実施する。

2. トラクタ系建設機械の運転・取扱い

基本的な注意事項
① エンジンオイルの油量は，エンジンの始動前だけでなく始動後にも点検する。
② 岩石などの落下の危険がある場所で運転するときは，堅固なヘッドガードやFOPS（落下物保護構造）を装備する。
③ 運転中エンジンに異常を感じた場合，故障の原因を突き止めるため，平坦な場所に停止し作業装置を降し，ブレーキをロックした後，確実に点検し，エンジンの状況を確認して正しく処置する。
④ 機械の能力以上の無理な作業は行わない。作業量を上げるために，無理な運転をすると，機械の各部の摩耗を早め，破損の原因になる。
⑤ 作業中に機械から離れる場合は，平坦な場所に停車し，作業装置を接地し，エンジン停止，キーを抜取り，ブレーキを作動する。
⑥ 夜間に作業する場合，現場全体の照明やトラクタの灯火を併用し，遠近や高低の錯覚を防止する。
⑦ ブレーキの効き具合やステアリングの応答を点検し，異常があれば作業前に機械の点検・調整を行う。
⑧ **トルクコンバータ式**は，負荷が減るとエンジン回転が上がるため，崖から土砂を落とす場合はエンジン回転を下げて作業効率を上げる。
⑨ **ダイレクトドライブ方式**では，主クラッチレバーは，静かにすばやく手前まで完全に引き，半クラッチの状態をできるだけ短くする。
⑩ **パワーシフト式**では，前進・後進切換を，車速及びエンジン回転数を下げて行う必要がある。
⑪ トレーラで輸送する場合は，作業装置やヘッドガードが地上から高さ 3.8 m 以内になるようにする。
岩石の多い現場での運転・取扱い
① 振動や衝撃による車体各部の破損等に注意して，低速度段で作業する。
② 足回りへの石のかみ込みを防止するために，**トラックフレーム**の下部に鋼板製のガードを取り付ける。
③ タイヤの空気圧が不足すると，掘削，運搬中のタイヤのたわみ量が増し，熱が発生してサイド部のカットやブロックのむしれが起こる。

④　タイヤの空気圧が過多になると，**ショックバースト**（衝撃による破裂）の原因となりやすい。また，掘削時のスリップによりタイヤの摩耗が早くなる。
⑤　タイヤの傷に小石がくい込み，手で簡単に除去できないときは，必ず除去してから使用する。

泥ねい地や水中での運転・取扱い
①　泥ねい地ではクローラがスリップしやすいので，接地面積の大きい湿地シューを装着した湿地用トラクタを使用する。
②　足回り装置の軸受部は，作業後すぐに洗車と点検を行い，必要に応じて給脂（グリースなどの潤滑剤を補給すること）を行う。
③　水中作業後の点検で潤滑油が白く濁っている場合は，直ちに潤滑油を交換する。
④　高位置スプロケットタイプのトラクタでは，作業前にドレンプラグが確実に締まっているかを点検する。
⑤　河川を渡る場合は，対岸に到着地点の目標を設け，できるだけ方向変換せずに直進する。

3．ホイールローダの運転操作

ホイールローダの運転操作
①　駐車時は，水平な場所を選び，作業装置を地面に下ろす。
②　土砂を運搬するときは，バケットの最下部と地面の間隔は 40 cm 程度まで低くして，前方の視野を確保する。
③　**パワーシフト式**の前・後進レバーの切換えは，車速及びエンジン回転速度を十分に下げて行う。
④　坂道や斜面を走行するときは，バケットを地面から 20～30 cm に保持して走行する。荷を積み込んだ時は，上り下り共にバケットを坂上に向けて走行する。バケットを坂下に向けて走行すると転倒し易く危険である。
⑤　ステアリングする場合は，車速を下げてバケットを構造物などに接触させないようにする。また，重心が高くならないように，バケットは下げておく。

試験によく出る問題

トラクタ系建設機械の点検・整備及び故障と対策に関する次の記述のうち，**適切なもの**はどれか。

(1)　作業装置等の不意の落下に備え，点検・整備中はエンジンをかけたままにする。

(2)　エンジン潤滑油，トランスミッションケース油，冷却水の量及び漏れの点検・整備は，それぞれ毎日実施する。

(3)　毎月の定期点検・整備では，毎日・毎週の定期点検・整備で実施した項目や摩耗した部品の交換は省略する。

(4)　時間の経過とともに徐々に進行する故障を発見した場合は，作業を継続してもよい。

2-2 運転及び取扱い

解　説

1．点検・整備の注意事項（P176）を参照してください。

(1)　作業装置等の不意の落下に備えるため，点検・整備中は作業装置等を接地させ，**エンジンを停止した状態**で実施します。

(2)　エンジン潤滑油，トランスミッションケース油，冷却水の**量及び漏れの点検・整備**は，それぞれ**毎日実施**します。

(3)　**毎月の定期点検・整備**においては，毎日・毎週の定期点検・整備で**実施した項目**や摩耗した**部品の交換**も実施します。

(4)　時間の経過とともに徐々に進行する**故障を発見**した場合は，**直ちに修理**します。

解答　(2)

トラクタ系建設機械の点検・整備方法に関する次の記述のうち，**適切でないもの**はどれか。

⑴　エンジンオイルの油量点検は，エンジン停止直後に実施するのがよい。
⑵　オイル類の点検や給油は，機械を水平な場所に置いて実施する。
⑶　定期点検・整備は，指定されたサービスメータの時間または経過日数のどちらかが指定された時期になったら実施する。
⑷　エンジン停止直後は，ラジエータ及び作動油タンクのキャップを開けないようにする。

解 説

1．点検・整備の注意事項（P176）を参照してください。
⑴　油量の点検は，エンジン停止直後，**5分以上たってから実施**します。
⑵　各種オイル類の点検や給油は，機械を**水平な場所に置いて実施**します。
⑶　定期点検・整備は，指定されたサービスメータの時間または経過日数の**どちらかが指定された時期に達したら実施**します。
⑷　ラジエータ及び作動油タンクの**キャップは**，危険を伴うので**エンジン停止直後に開けてはならない**です。

解答　⑴

問題16　出る　出る　出る

トラクタ系建設機械の運転方法に関する次の記述のうち，**適切でないもの**はどれか。
⑴　急坂を上り下りする時は，横滑りや横転を防ぐため坂道に対し斜めに走行することはできる限り避ける。
⑵　けん引走行でカーブを通過する時は，被けん引車の抵抗によりステアリングが妨げられることを考慮して操向する。
⑶　夜間に作業する場合，現場全体の照明だけを利用し，トラクタの灯火は遠近や高低の錯覚を生じやすいので使用しない。
⑷　旋回時や後進時は，周囲に人がいないことを確かめ，作業範囲に人が立ち入らないよう，ホーンや合図により警報してから発進する。

解 説

2．トラクタ系建設機械の運転・取扱い（P177）を参照してください。

⑴　急坂に対しての**斜登坂や降下を避けます**。斜めに走行した場合，車体の一方向に力がかかり横滑りや横転等が生じる恐れがあります。

⑵　けん引走行でカーブを通過する場合は，被けん引車の状態を確認し，**被けん引車の抵抗**によりステアリングが妨げられることを考慮して操向します。

⑶　夜間に作業をする場合は，**現場全体の照明**や**トラクタの灯火**を**併用**することで，遠近や高低の錯覚を防止します。

⑷　旋回時や後進時は，周囲に人がいないことを確認します。また，作業範囲には**人の立ち入りを禁止**し，**ホーンや合図により警報**してから発進します。

解答　⑶

問題17

ホイールローダの運転・取扱いに関する次の記述のうち，**適切でないもの**はどれか。

⑴　駐車時は，水平な場所を選び，作業装置を地面に下ろす。

⑵　パワーシフト式の前・後進レバーの切換えは，車速及びエンジン回転速度を十分に下げて行う。

⑶　傾斜地での積荷走行は，転倒防止のため，後進で上り，前進で下りる。

⑷　坂道や斜面を走行するときは，バケットを地面から 20～30 cm に保持して走行する。

解説

3．ホイールローダの運転操作を参照してください。

⑴　ホイールローダを駐車させるときは，水平な場所を選び，**作業装置を地面に下ろします**。

⑵　前・後進レバーの切換えは，車速およびエンジン回転数を**十分に下げて**，**動力伝達装置に衝撃を与えない**ように操作します。

⑶　傾斜地での積荷走行は，**バケットを坂上に向ける**ため，**前進で上り，後進で下ります**。

⑷　坂道や斜面の走行ではバケットを**地面から 20～30 cm** に保持し，緊急時にバケットを地面に下ろして停止できる状態で走行します。

解答　⑶

22 故障と原因

要点の整理と理解

1. 故障内容と主な原因

故障内容と主な原因

部位	故障内容	主な原因
エンジン	出力が上がらない	・エアクリーナの目詰まり，マフラーのつまり ・燃料フィルタの目詰まり ・ガバナ調整不足
エンジン	オーバーヒートする	・エアクリーナの目詰まり，マフラーのつまり ・ファンベルトの弛み ・冷却水の不足 ・燃料噴射弁の不良
トルクコンバータ	オーバーヒートする	・過大な作業負荷 ・オイルタンクの油量不足，不適切なオイルの使用 ・トランスミッションの油圧が上がらない ・ステアリングクラッチの滑り，ブレーキの引きずり
パワーシフトトランスミッション	トランスミッションの油圧が上がらない（油圧の異常）	・ポンプの摩耗，かじり ・オイルフィルタエレメント，ストレーナの目詰まり ・オイルタンクの油量不足
パワーシフトトランスミッション	変速レバーを入れても車が発進しない（全速度段）	・トランスミッションの油圧の異常 ・ステアリングクラッチの滑り，ブレーキの引きずり
パワーシフトトランスミッション	変速レバーを入れても車が発進しない（特定速度段のみ）	・トランスミッションコントロールの調整不足 ・トランスミッションクラッチの異常

部位	故障内容	主な原因
油圧装置	ブレード（バケット，荷台）の上昇が遅い，または全く上昇しない	・作動油の不足 ・ポンプの内部摩耗
	ブレード（バケット，荷台）の自然落下が速い	・油圧シリンダのピストンパッキンの摩耗，損傷 ・油圧系統の油漏れ ・コントロールバルブの摩耗，損傷
	シリンダの力が弱い（速度は正常）	・リリーフバルブ設定圧の低下
	ポンプ異音，振動	・作動油の不足 ・作動油にエア混入（機器交換時）
足回り	フロントアイドラおよびローラの端面から油が漏れる	・フローティングシールの摩耗，損傷
ステアリング装置	ハンドルが重い，ハンドルが振れる，ハンドルが取られる	・コントロールバルブ，油圧シリンダ，油圧ポンプの異常 ・スクリュナットのボールおよびナットの摩耗 ・コントロールリンケージの曲り
制御装置	ブレーキの効きが悪い	・ブレーキオイル系統内に空気混入 ・ブレーキオイルの不足 ・ブレーキ配管系統のエア漏れおよび油漏れ ・エアブレーキバルブの作動不良

試験によく出る問題

問題18

ホイールローダの故障内容とその原因に関する組合せとして次のうち，**適切でないもの**はどれか。

（故障内容）　　（原因）

(1) オーバーヒート ―――――― 燃料フィルタの目詰まり

(2) ハンドルが重い ―――――― 油圧ポンプの異常

⑶　ブレーキの効きが悪い ―――― ブレーキオイル系統内に空気混入
⑷　原動機出力が上がらない ――― エアクリーナの目詰まり

解説

⑴　エンジンの**オーバーヒート**の原因は，**冷却水の不足，ファンベルトの弛み**などが原因です。
⑵　**ハンドルが重い**原因として，コントロールバルブ，油圧シリンダ，**油圧ポンプの異常**が考えられます。
⑶　**ブレーキの効きが悪い**原因の１つとして，**ブレーキオイル系統内への空気の混入**が考えられます。
⑷　エンジンなどの**原動機出力が上がらない**原因として，**エアクリーナの目詰まり**，燃料フィルタの目詰まりが考えられます。

解答　⑴

問題19

トラクタ系建設機械の故障内容と主な原因の組合せとして次のうち，**適切なもの**はどれか。

（故障内容）　　　　　　　　　　（主な原因）
⑴　トランスミッションの油圧が上がらない ―――― ポンプの摩耗
⑵　ブレードの上がりが遅い，または全く上がらない ―― 油圧モータの故障
⑶　シリンダの力が弱い（速度は正常） ――――― パッキンの摩耗
⑷　油圧ポンプから異音や振動が発生する ――――― 油圧系統の油もれ

解説

⑴　**トランスミッションの油圧が上がらない**原因として，**ポンプの摩耗**，オイルタンクの油量不足などが考えられます。
⑵　**ブレードの上がりが遅い，または全く上がらない**原因として，**作動油の不足，ポンプの内部摩耗**などが考えられます。

(3) **シリンダの力が弱い**原因として，**リリーフバルブ設定圧の低下**が考えられます。

(4) **油圧ポンプから異音や振動が発生する**原因として，**作動油の不足，作動油にエア混入**などが考えられます。

解答 (1)

問題20

ホイールローダの故障内容と主な故障原因の組合せとして次のうち，**適切でないもの**はどれか。

	（故障内容）		（主な故障原因）
(1)	リフトアームの自然降下が速い	――	シリンダのシール漏れ
(2)	バケット・リフトアームの上がりが遅い	――	ピン結合部の弛み
(3)	エンジンの出力が上がらない	――	燃料フィルタの目詰まり
(4)	エンジンがオーバーヒートする	――	ファンベルトの弛み

解説

(1) **リフトアームの自然降下が速い**原因として，**シリンダのシール漏れ，コントロールバルブの摩耗・損傷**などが考えられます。

(2) **問題19** の 解説 (2)を参照してください。

バケット・リフトアームの上がりが遅い原因として，**作動油の不足，ポンプの内部摩耗**などが考えられます。

(3) **問題18** の 解説 (4)を参照してください。

(4) **問題18** の 解説 (1)を参照してください。

解答 (2)

2-2 運転及び取扱い

23 トラクタ系建設機械による施工

要点の整理と理解

1. ブルドーザによる土工作業

ブルドーザによる作業の種類と主な留意点

作業の種類	主な留意点
掘削押土作業	・１回の掘削押土距離は，60 m 以下が効率のよい距離である。 ・長い距離の押土で押土量が半減したときは，その位置に一旦，土砂を置き，次の作業でまとめて押土する。（二段押し） ・**掘削押土作業**は，掘削面の勾配を一定にしクローラがスリップをおこす直前付近で行うのがよい。 ・**スロット押土法**では，溝と溝の間隔を 50～80 cm とし，掘削深さはブレードの高さまでとする。 ・２台のブルドーザでブレードを一線にそろえて押土する作業を並列押しという。 ・押土作業は低速で押し，後退はできるだけ高速としてサイクルタイムを短縮する。 ・掘削は，下り勾配（約 20 %が目安）を保って作業する。
盛土作業	・盛土作業を厚さ 15～30 cm 程度でまき出して行うと，作業効率がよく転圧効果も高くなる。 ・傾斜地盤の盛土では，表面の除草を行い，盛土の滑りを防止する段切り処置を施した後，盛土作業を行う。 ・盛土は降雨時の排水勾配を常に考慮し，低い所から順序よく作業する。
倒木，除根，除草作業	・直径 15 cm 程度までの倒木作業は，レーキドーザで直接根を掘り起こす。 ・除草を行う場合は，ブレードを 10～15 cm 程度地中に下ろして，根を切りながら低速で行う。 ・竹の根は，地表面から 30～40 cm 程度まで根を張るので深く切る。

作業の種類	主な留意点
仕上げ作業	・仕上げ作業は，一方向だけでなく，方向を変えて行うのが原則である。 ・ブレード操作は，本体の上下動に合わせて，想定した仕上げ面になるように上下に**チルト操作**する。 ・整地は，ブレードに半分程度荷をかけて作業すると容易である。 ・仕上げ作業では，粗仕上げは中速で行い，細かい仕上げは低速で行う。 ・毎回の仕上げ面は，ブレードの重なりをブレード幅の$\frac{1}{4}$程度とする。
リッパ作業	・リッピング作業では，**リッパメータ**，**サイスモグラフ**などで，岩盤の弾性波速度を測定して判断する。 ・速度は，１速で２ km/h 程度で行うと効率的な作業ができる。 ・地盤が硬くなるほどシャンクの数を減らす。 ・リッピング作業が容易な場所では，速度を増やすよりシャンクの数を増やして作業すると効率がよくなる。 ・リッピング深さは，車体後部が浮きあがったり，クローラがスリップしたりしない程度まで，できるだけ深くする。 ・硬い岩のリッパ作業は，**リッパシャンク**を貫入させ，そのままで急旋回を行うとシャンクを折ることがある。 ・硬い岩盤で，き裂などが地表面に対し斜めに入っている場合は，逆目にリッピングする。 ・１台で無理な場合には，もう１台をプッシャとして用いるタンデム作業を行う。 ・アジャスタブルリッパでは，エンジンの負荷が最大になるようにシャンク角度を調整する。
岩石除去	・大塊の岩石の除去作業でブレードの片側で大塊を押すときは，大塊に当たっていない方のステアリングクラッチを切りながら負荷を調整して作業する。

作業の種類	主な留意点
湿地での作業	・軟弱地における押土作業で後退するときは，前進時に通過したクローラの軌跡上を通らないようにする。 ・湿地での押土作業では，前進時に通過したクローラの中間を後退するとよい。
斜面での作業	・斜面での掘削は，安全確保のため高い方から下向きに作業を行う。 ・急坂を登るときは，あらかじめ決めた速度段で発進し，途中で変速しない。また，斜め登坂はできるだけ避ける。 ・急坂を下りるときは，安全のため**ブレード**を下げてブレーキに使用する。 ・**のり切り作業**は，掘削地盤の盤下げにしたがって行うと効果的である。

2．ホイールローダによる土工作業

ホイールローダによる作業の種類と主な留意点

作業の種類	主な留意点
掘削積込み作業	・掘削面に向かって５％程度の上り勾配になるように排水に留意しながら作業する。 ・浮石の処理など岩石作業の場合は，発破後安全を確認してから作業を開始する。 ・掘削積込みは，バケットを地山に向かって直角に突っ込んで掘削する。対象物に斜めに突っ込むと衝撃が集中し機械を損傷させる場合がある。 ・掘削時に対象物へ突っ込む場合は，対象物の出っぱっているところを選んで突っ込むのがよい。 ・大きな岩石がある場合は，低速でバケットを押し込んで，すくい上げる方に主体をおいた掘削を行う。 ・大きな玉石のすくい込み作業は，バケット端部で玉石を起こすとバケットに偏荷重がかかるのでよくない。埋まっているときは，両側と前面の土砂を除いてから行う。

作業の種類	主な留意点
掘削積込み作業	・バケットは一般に材料が重く負荷の大きい場合には，小さめの容量のものを使用する。 ・積込み作業で組み合わせるダンプトラックは，**ホイールローダ**による積込み回数が３～４回で荷台が満載となるものがよい。
ダンプトラックへの積込み	・土砂を積んでダンプトラックに近づくために走行する場合は，バケットはできるだけ低くする。また，急ブレーキ，急ステアリング，前後進の急激な切換えなどは行わないで接近する。 ・ダンプトラックへの積込みは，荷台に対して直角に入り，荷台の中心から順に積み込む。 ・**ダンピングクリアランス**は，ダンプトラックの荷台上縁高さより 50 cm 以上の余裕を確保する。 ・バケット幅は，ダンプトラックの荷台長さの 75 %以内が最適である。 ・Ｉ形方式（クロスシフト）は，ダンプトラックを作業対象物に平行に配置して停止する。積込みの際には，**ホイールローダ**の前にダンプトラックが移動を繰り返す方式。
ロードアンドキャリ工法	・**ホイールローダ**のみで，掘削，すくい込み，運搬，投入まで行うもので，運搬距離 150 m 以内で有効である。 ・**ロードアンドキャリ工法**での運土走行は，バケットをできるだけ低い位置に下げて走行する。 ・バケットの荷は平積みとする。
ドージング作業	・**ドージング作業**は，バケットを地面の硬さにあった角度（約５～30°）に前傾させエンジンを中速回転にして行う。
整地作業	・整地作業は，後進で土を散布し，次にバケットを前傾させ刃先を地面につけて後進させる。

3．スクレーパによる土工作業

スクレーパによる作業の種類と主な留意点

作業の種類	主な留意点
掘削積込み作業	・掘削・積込み作業は，**エプロン**を 15～30 cm 上げ，**エジェクタ**は最後部に格納し，ボウルを下げて走行しながら地表を削って積込む。 ・刃先が静かに地面にくい込むように，ボウルは静かに下げる。 ・掘削積込みは，**ボウル**をトラクタのクローラが停止またはスリップしない程度に調整しながら下げる。 ・掘削面は水平に保ち，走行速度は低速にして，ボウルの容量一杯まで積み込む。 ・掘削は，運搬目的地に向かって下り勾配を利用して作業すると作業速度が上がる。
運搬，まき出し作業	・**スクレーパ**による掘削積込み後の運搬作業は，可能なかぎり高速で行う。 ・走行時，重心が高いと旋回のときに安定を欠くので，ボウルをできるだけ下げて走行する。また，運搬路の障害物は常に取除いておく。 ・まき出しはボウルの刃先を地上 15～20 cm 程度に保ち，3 km/h 前後で走行する。 ・**モータスクレーパ**は，**被けん引式スクレーパ**と比べて長い距離の土砂運搬に適している。 ・軟弱地や不整地での作業には，**被けん引式スクレーパ**の方がモータスクレーパより適する。

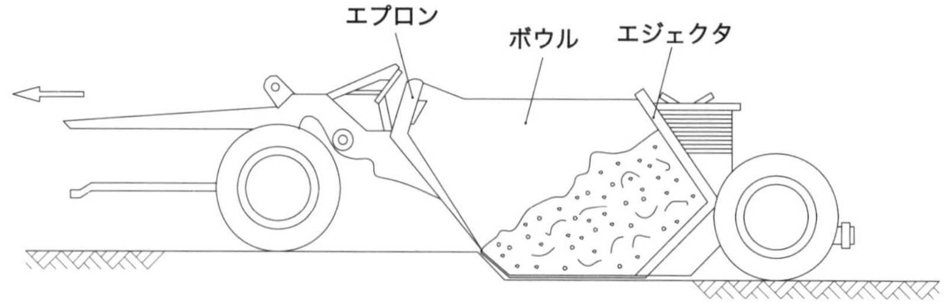

［各部の名称］

問題21 出る 出る 出る

ブルドーザによる土工作業に関する次の記述のうち，**適切でないもの**はどれか。

⑴　掘削作業は，20％程度の下り勾配を保って作業すると効率がよい。

⑵　スロット押土法は，押土作業でブレードの両端から土が散逸するのを防ぐ作業のひとつである。

⑶　斜面の上部から土砂を落す場合，その手前で一山残し，次の押土のときに前に残した山を落すと安全である。

⑷　長い距離の押土作業では，途中でブレードの土量が半減した場合も止まらずに押し切る方が効率がよい。

解　説

1．ブルドーザによる土工作業（P186）を参照してください。

⑴　掘削作業は，**下り一定勾配（約20％が目安）**を保って作業すると効率がよいです。

⑵　押土中の土がブレードの両端からこぼれるのを防ぐ方法として，**並列押土法**や**スロット押土法**があります。

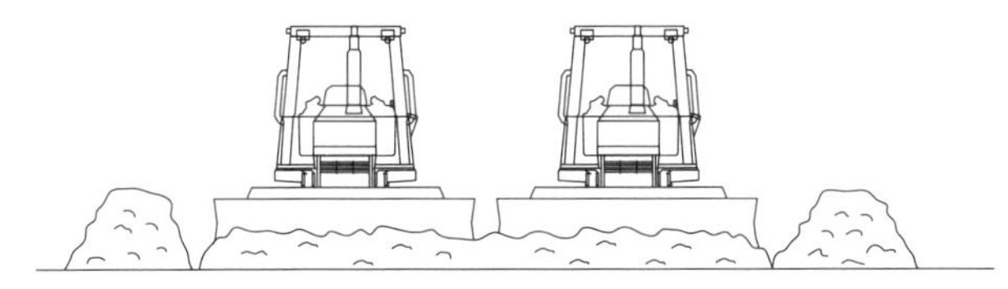

［並列押土法］

［スロット押土法］

⑶　斜面の上部から土砂を落すときは，その**手前で一山残し**，次の押土のときに前に残した山を落すと安全です。

⑷　長い距離の押土で押土量が半減したときは，その位置に**一旦，土砂を置き，**次の作業でまとめて押土します。（二段押し）

解答　⑷

問題22

ブルドーザによるリッピング作業に関する次の記述のうち，**適切なもの**はどれか。

⑴　速度は，１速で 10 km/h 程度で行うと効率的な作業ができる。

⑵　リッピング作業が容易な場所では，シャンクを増やすより速度を上げて作業すると効率がよくなる。

⑶　できるだけ下り勾配を利用すると効率的である。

⑷　硬い岩盤で, き裂などが地表面に対し斜めに入っている場合は, 順目にリッピングする。

解説

1．ブルドーザによる土工作業（P186）を参照してください。

⑴　作業は１速で行うのが原則で，リッパ作業速度は１速で**２ km/h 程度**で行うと効率的な作業ができます。

⑵　地盤が軟らかく**リッピング作業が容易な場合**は，速度を増やすより，**シャンクの数を増やして作業**すると効率がよくなります。

・硬い地盤→シャンク数を減らす。
・軟らかい地盤→シャンク数を増やす。

⑶　**問題21** の 解 説 ⑴を参照してください。

⑷　硬い岩盤で, き裂などが地表面に対し斜めに入っている場合は, **逆目**にリッピングします。

解答　⑶

問題23 出る 出る 出る

ブルドーザによる土工及び除草作業に関する次の記述のうち，**適切なもの**はどれか。

(1) 押土時は，ブレードチルトすることで，ブレードを上げた側に走行方向が変えられる。

(2) 土砂の敷ならし作業は，ブレードを垂直に立て，刃先の下から土砂が出るように刃先と地表の間をあけて行う。

(3) 竹の除根は，地表面に張った根を 10 cm 程度の深さで浅く広い範囲を切る。

(4) 除草作業を行う場合は，ブレードを 30 cm 程度地中に下ろして高速で根を切る。

解説

1．ブルドーザによる土工作業を参照してください。

(1) 押土時は，**ブレードチルト**することで，ブレードを**下げた側**に走行方向が変えられます。

(2) 土砂の敷ならし作業は，ブレードを垂直に立て，**刃先の下から土砂が出るように**刃先と地表の間をあけて行います。

(3) 竹の根は，地表面から **30〜40 cm 程度**まで根を張るので深く切ります。

(4) 除草を行う場合は，ブレードを **10〜15 cm 程度**地中に下ろして，根を切りながら**低速**で行う。

解答 (2)

問題24 出る 出る

ブルドーザの仕上げ作業に関する次の記述のうち，**適切なもの**はどれか。

(1) 毎回の仕上げ面は，ブレードの重なりをブレード幅の$\frac{1}{10}$程度とする。

(2) ブレード操作は，本体の上下動に合わせて，想定した仕上げ面になるように上下にチルト操作する。

(3) 整地は，ブレード高さいっぱいに荷をかけて作業すると容易である。

(4) 粗仕上げは低速で行い，細かい仕上げは高速で行う。

解 説

1．ブルドーザによる土工作業（P186）を参照してください。

⑴ 毎回の仕上げ面は，ブレードの重なりをブレード幅の$\frac{1}{4}$**程度**とします。

⑵ **ブレード操作**は本体の上下動に合わせて，想定した仕上げ面になるように**チルト操作して**ブレードの高さが変化しないように作業します。

⑶ 整地は，ブレードに**半分程度**荷をかけて作業すると容易です。

⑷ **粗仕上げ**は**中速**で行い，**細かい仕上げ**は**低速**で行います。

解答 ⑵

ホイールローダによる土工作業に関する次の記述のうち，**適切なもの**はどれか。

⑴ ドージング作業は，バケットを 45 度程度に前傾させエンジンを高速回転にして行う。

⑵ 整地作業の敷ならしは，バケットを前傾させ刃先を地面につけて前進させる。

⑶ 大きな玉石のすくい込み作業は，バケット端部で玉石を起こしてすくい込む。

⑷ 掘削積込みは，バケットを地山に向かって直角に突っ込んで掘削する。

解 説

2．ホイールローダによる土工作業（P188）を参照してください。

⑴ **ドージング作業**は，バケットを地面の硬さにあった**角度（約５～30°）**に前傾し，エンジンを**中速**回転にして，バケット刃先を地面に軽く押しつけながら前進します。

⑵ 整地作業の敷ならしは，バケットを前傾させ刃先を地面につけて**後進**させます。

⑶ 大きな玉石のすくい込み作業は，バケット端部で玉石を起こすとバケットに**偏荷重がかかる**のでよくないです。埋まっているときは，**両側と前面の土砂を除いて**から行う。

(4) 掘削積込みは，バケットを地山に向かって**直角に突っ込んで掘削**します。対象物に斜めに突っ込むと衝撃が集中し機械を損傷させる場合があります。

解答 (4)

問題26 

ホイールローダの作業に関する次の記述のうち，**適切なもの**はどれか。

(1) バケットは一般に材料が重く負荷の大きい場合には，大きめの容量のものを使用する。

(2) ドージング作業は，バケットを 45 度に前傾させエンジンを高速回転にして行う。

(3) 大きな岩石がある場合は，低速でバケットを押し込んで，すくい上げる方に主体をおいた掘削を行う。

(4) ダンピングクリアランスは，ダンプのアオリからの高さを 10 cm 以下とする。

解 説

2．ホイールローダによる土工作業を参照してください。

(1) バケットは一般に材料が**重く負荷の大きい**場合には，**小さめ容量**のものを使用します。

(2) **問題25** の 解 説 (1)を参照してください。

ドージング作業は，バケットを**5～30 度**に前傾させエンジンを**中速回転**にして行います。

(3) 大きな岩石がある場合は，低速で慎重に突っ込み，**すくい上げる方に主体をおいた掘削**を行います。

(4) **ダンピングクリアランス**は，ダンプのアオリからの高さを **50 cm 以上**とします。

解答 (3)

2-3 施工方法及び作業能力

問題27 出る 出る 出る

ホイールローダの積込み作業に関する次の記述のうち，**適切なもの**はどれか。

⑴　バケット幅は，ダンプトラックの荷台長さの 75 %以内が適切である。

⑵　大きな岩石に対しては，車両の速度を上げ突っ込み力によってすくい込むのがよい。

⑶　Ｉ形方式（クロスシフト）は，ダンプトラックの車体後部が，作業対象物に正対して停止する。

⑷　バケットは，ダンプトラックとの接触を避け，また視界を確保するため，できるだけ高くして接近する。

解 説

２．ホイールローダによる土工作業（P188）を参照してください。

⑴　ホイールローダの**バケット幅**は，ダンプトラックの**荷台長さの 75 %以内**が適切です。

⑵　**問題26** の 解 説 ⑶を参照してください。

⑶　**Ｉ形方式（クロスシフト）**は，ダンプトラックを作業対象物に**平行に配置**して停止します。記述は，**Ｌ形方式（Ｌシフト）**の内容です。

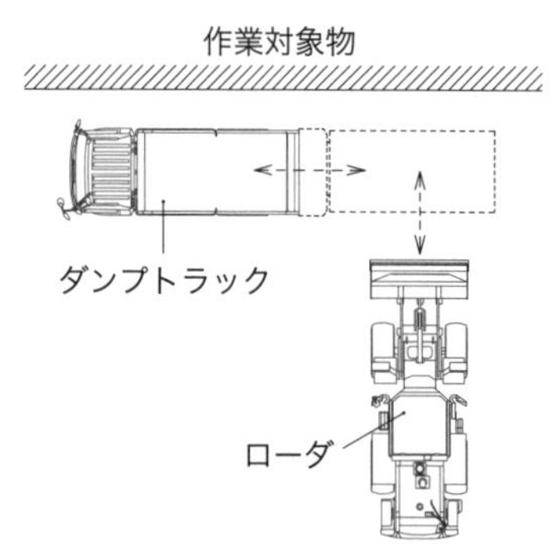

［Ｉ形方式（Ｉシフト，クロスシフト）］

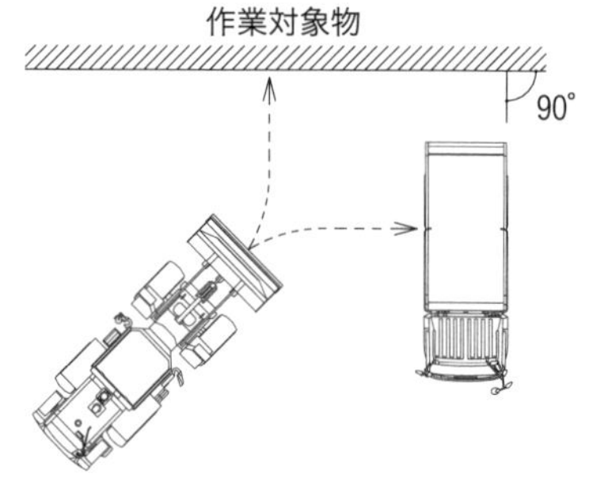

［Ｌ形方式（Ｌシフト）］

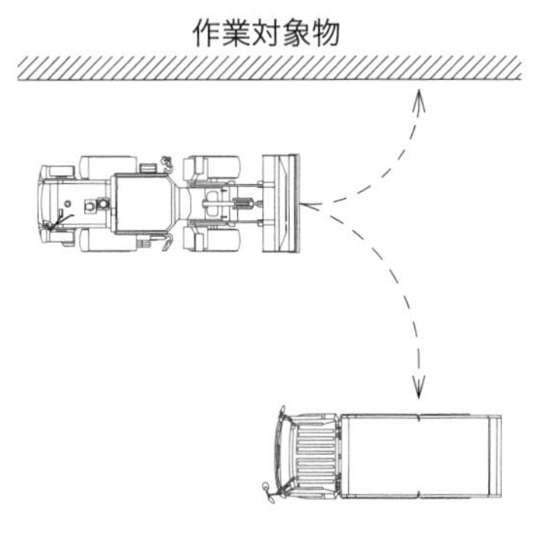

［T形方式（Tシフト)］

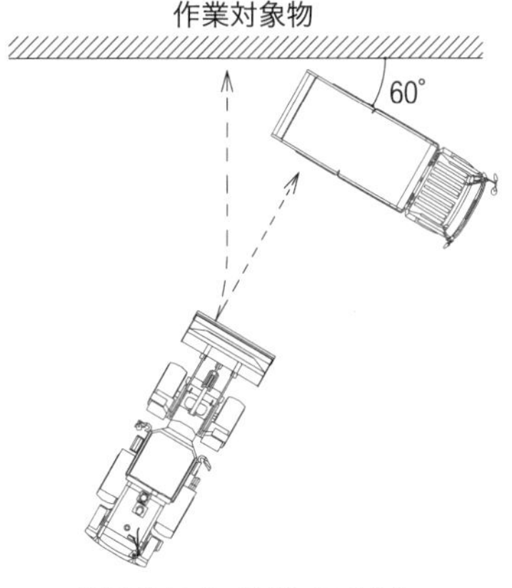

［V形方式（Vシフト)］

⑷　バケットはできるだけ**低く**し，急ブレーキ，急ステアリング，前後進の急激な切換えなどは行わないで接近します。

解答　⑴

スクレーパによる土工作業に関する次の記述のうち，**適切でないもの**はどれか。

⑴　スクレーパの走行には，十分な幅員と良好な路面をもった運搬路が必要である。
⑵　運搬作業は，運搬路の障害物に接触しない範囲でできるだけボウルを下げるようにする。
⑶　被けん引式スクレーパは，モータスクレーパと比べて長い距離の土砂運搬に適している。
⑷　まき出し作業は，ボウル刃先の地上高さを材料に応じた設定値に保ち，時速3 km程度で走行しながら行う。

解　説

3．スクレーパによる土工作業（P190）を参照してください。

⑴　スクレーパの走行には，**十分な幅員**と**良好な路面**をもった運搬路が必要です。

⑵　走行時に重心が高いと旋回のときに安定を欠くので，運搬路の障害物に接触しない範囲で，できるだけ**ボウルを下げて**走行します。

⑶　**被けん引式スクレーパ**は **60～400 m 程度**の中距離に適し，**モータスクレーパ**は **200～1,200 m 程度**の長距離に適しています。したがって，被けん引式スクレーパは，モータスクレーパと比べて**長い距離の土砂運搬に適していない**です。

⑷　まき出し作業は，一般的にボウルの刃先を**地上 15～20 cm 程度**に保ち，**時速３ km 程度**で走行しながら行います。

解答　⑶

スクレーパによる掘削積込み及びまき出し作業に関する次の記述のうち，**適切でないもの**はどれか。

⑴　掘削は，刃の地面へのくい込みをよくするため，ボウルを勢いよく下げる。

⑵　積込み量はボウル容量満杯程度とし，低速で走行する。

⑶　まき出し作業は，ボウルの刃先を地上から 15～20 cm 程度に保ち，作業速度は３ km/h 程度で行う。

⑷　被けん引式スクレーパによる掘削積込み作業は，トラクタがスリップしない程度の平均した深さで浅く，長く掘削する。

解 説

３．スクレーパによる土工作業（P190）を参照してください。

⑴　掘削は，刃先が地面に静かにくい込むように，**ボウルは静かに下げます**。

⑵　掘削面は水平に保ち，走行速度は**低速**で，**ボウル**の**容量一杯**まで積込みます。

⑶　問題28 の 解 説 ⑷を参照してください。

⑷　**被けん引式スクレーパ**による掘削積込み作業は，スリップしない程度の平均した深さで，**浅く長く掘削**します。

解答　⑴

24 トラクタ系建設機械の作業能力

要点の整理と理解

1. ブルドーザによる作業能力の算定

ブルドーザによる**運転1時間当たりの掘削押土作業量** Q[m^3/h]の算定式は，次式のとおりです。

$$Q = \frac{60 \times q \times f \times E}{C_m}$$

q：1サイクル当たりの掘削押土量（地山土量）[m^3]

f：土量換算係数

E：作業効率

C_m：1サイクル当たり所要時間[分]（L＝平均掘削押土距離[m]）

① 掘削押土作業　$C_m = 0.027 \times L + 0.79$[分]

② 掘削押土敷均し作業　$C_m = 0.030 \times L + 0.79$[分]

2. ホイールローダによる作業能力の算定

ホイールローダによる**運転1時間当たりの掘削積込み作業量** Q[m^3/h]の算定式は，次式のとおりです。

$$Q = \frac{3600 \times q \times f \times E}{C_m}$$

q：1サイクル当たりの掘削押土量（地山土量）[m^3]

$q = q_0 \times K$　　q_0：バケット山積み容量[m^3]

K：バケット係数　積算上は0.75

f：土量換算係数

E：作業効率

C_m：1サイクル当たり所要時間[秒]

2-3 施工方法及び作業能力

試験によく出る問題

問題30 

下記の条件でブルドーザにより掘削押土作業を行う場合，運転１時間当たりの掘削押土量として次のうち，**適切なもの**はどれか。

（条件）１サイクル当たりの掘削押土量（地山土量）：２ m^3
土量換算係数 ：1.0
作業効率 ：0.60
１サイクル当たり所要時間 ：３分

(1) 12 m^3/h
(2) 24 m^3/h
(3) 40 m^3/h
(4) 54 m^3/h

解説

1．ブルドーザによる作業能力の算定（P199）を参照してください。
１サイクル当たりの**掘削押土量**（地山土量）$Q[m^3/h]$は，

$$Q = \frac{60 \times q \times f \times E}{C_m}$$ で求めることができます。

$q = 2[m^3]$，$f = 1.0$，$E = 0.60$，$C_m = 3$［分］より，

$$Q = \frac{60 \times 2 \times 1.0 \times 0.6}{3}$$ = **24[m^3/h]**となります。

解答 (2)

問題31 

下記の条件でバケット容量（山積）2.0 m^3のホイールローダでダンプトラックへの積込みを行う場合，運転時間１時間当たりの積込み作業量として次のうち，**適切なもの**はどれか。

（条件）・バケット係数　　　　　：0.75
・土量換算係数　　　　：1.0
・作業効率　　　　　　：0.6
・１サイクルの所要時間：30 秒

(1)　54 m^3/h
(2)　108 m^3/h
(3)　144 m^3/h
(4)　180 m^3/h

解 説

２．ホイールローダによる作業能力の算定（P199）を参照してください。
１サイクル当たりの**積込み作業量** $Q[m^3/h]$ は，

$Q = \frac{3600 \times q \times f \times E}{C_m}$ で求めることができます。

$q = 2[m^3] \times 0.75 = 1.5[m^3]$，$f = 1.0$，$E = 0.6$，$C_m = 30$[秒]より，

$Q = \frac{3600 \times 1.5 \times 1.0 \times 0.6}{30} =$ **$108[m^3/h]$** となります。

解答　(2)

問題32 出る 出る 出る

下記の条件で，ブルドーザによる掘削押土作業を行う場合，運転１時間当たりの掘削押土量として次のうち，**適切なもの**はどれか。

（条件）１サイクル当たりの掘削押土量（地山土量）：2.4 m^3
土量換算係数　　　　　　　　　　　　：1.0
１サイクル所要時間　　　　　　　　　：1.2 分
作業効率　　　　　　　　　　　　　　：0.6

(1)　120 m^3/h
(2)　108 m^3/h
(3)　72 m^3/h
(4)　54 m^3/h

解 説

問題30 を参照してください。

$q = 2.4[m^3]$, $f = 1.0$, $E = 0.60$, $C_m = 1.2$[分]より,

$$Q = \frac{60 \times 2.4 \times 1.0 \times 0.6}{1.2} = 72[m^3/h]$$ となります。

解答 (3)

問題33

下記の条件で，ホイールローダによる山砂の掘削積込み作業を行う場合，運転１時間当たりの掘削積込み作業量として次のうち，**適切なもの**はどれか。

（条件）		
	バケット容量（山積）	：2.0 m^3
	バケット係数	：0.75
	土量換算係数	：1.0
	１サイクル当たりの所要時間	：40 秒
	作業効率	：0.6

(1) 180 m^3/h
(2) 135 m^3/h
(3) 108 m^3/h
(4) 81 m^3/h

解 説

問題31 を参照してください。

$q = 2.0 \times 0.75 = 1.5[m^3]$, $f = 1.0$, $E = 0.6$, $C_m = 40$[秒]より,

$$Q = \frac{3600 \times 1.5 \times 1.0 \times 0.6}{40} = 81[m^3/h]$$ となります。

解答 (4)

第3章 ショベル系建設機械

第2種［必須問題］

25 ショベル系建設機械の諸元及び性能

要点の整理と理解

1．ショベル系建設機械の分類

ショベル系建設機械の分類

分類		概要
動力伝達方式	油圧ショベル	油圧モータと油圧シリンダによって作業動作を行うショベル。
	機械式ショベル	ウインチドラムに巻かれたワイヤロープによって作業動作を行うショベル。
大きさ，形態	ミニショベル	運転質量が6 t（6,000 kg）未満，かつ標準バケット山積容量 0.28 m^3未満の油圧ショベル。
	超小旋回形油圧ショベル	狭い空間で作業するため，後端旋回半径比，フロント最小旋回半径比ともにクローラ全幅の 120 %以内の油圧ショベル。アームが運転席の横にあり，前後ともクローラ幅で旋回が可能。
	後方超小旋回形油圧ショベル	旋回時に車体後方の安全が確保されるよう後端旋回半径比が 120 %以内で，フロント最小旋回半径比は 120 %を超える油圧ショベル。アームの取り付け位置が運転席の前にあり，後方のみがクローラ幅からはみ出さないで旋回が可能。
走行装置	クローラ式	クローラ式無限軌道を備え走行するもの。
	ホイール式	ゴムタイヤで走行するもの。
	トラック式	普通トラックに架装したもの。

後端旋回半径比（こうたんせんかいはんけいひ）とは，油圧ショベルの上部旋回体後端部がクローラ全幅の 1 / 2 に対し，どの程度突き出しているかを示すもの。

2. ショベル系建設機械の特徴と主な用途

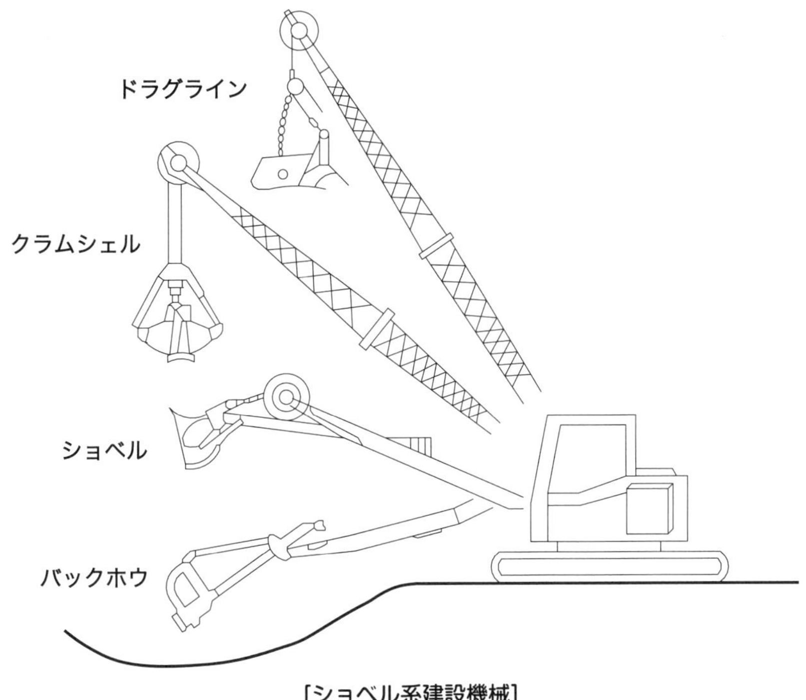

[ショベル系建設機械]

ショベル系建設機械の特徴・用途

種　類	特徴・用途
バックホウ	・機械が設置された地盤より低い所の掘削に適した機械で，水中掘削もできる。 ・機械の質量に見合った掘削力が得られるので，硬い土質の掘削や積込みができる。
ショベル	・ショベルは，機械の設置地盤より高い所を削り取るのに適した機械で，油圧式では，バックホウのバケットを反転して使用することもある。 ・油圧ショベル兼用屈曲ジブ式移動式クレーンは，過負荷制限装置などの安全装置を備えたクレーン機能をもつショベルである。

種　類	特徴・用途
ローディングショベル	・鉱山や砕石の原石山掘削，積込みに使用され地盤より高い所に適用できる。
クラムシェル	・機械が設置された地盤より低い所の掘削に適用できる。 ・油圧テレスコピック式クラムシェルは，クラムシェルバケットを取り付けた油圧式の伸縮アームを，ブームの先端に装着した機械である。
ドラグライン	・ドラグラインは，機械の設置地盤より低い所を掘削する機械で，ブームのリーチより遠くを掘削できる。 ・水中掘削も可能で，河川や軟弱地の掘削工事，砂利の採取などに適する。

3．特殊仕様のショベル系掘削機

油圧ショベルの用途別特殊仕様

用途	特殊仕様	主な機能・適応
狭所作業	超小旋回形	・ほぼクローラ全幅以内で全旋回可能 ・オフセットブーム機能
	後方超小旋回形	・後端旋回半径小
夜間工事 住宅地域作業	超低騒音型	・国土交通省指定超低騒音型
	低振動型	・国土交通省指定低振動型
解体作業	解体仕様	・本体，作業装置，足回りの強化 ・トップガード，フロントガードなどの保護装置を装備
山岳地作業	分解形	・本体，作業装置を１～２ｔ程度に分解 ・ヘリコプターで運搬可能
危険，有害領域内作業	遠隔操縦形	・有線リモートコントロール型 ・無線操作型
土木一般作業	半自動形	・掘削深さ一定制御 ・レーザ基準勾配制御

用途	特殊仕様	主な機能・適応
土木一般作業	地下掘削仕様機械	・天井が低い，狭い軟弱地
	泥上掘削機	・水上自航，超軟弱地
	油圧オーガ	・建柱，造園などの穴掘り
	小型アースオーガ	・市街地や狭い場所での掘削，杭の立て込み
	油圧バイブレータ	・ダム工事などの大容量，低スランプのコンクリート打設

4．油圧ショベルの性能・諸元

用　語		概　要
質量の定義	機体質量	機械本体の乾燥質量。
	機械質量	運転質量から乗員の質量（75 kg）を除いた質量。
	運転質量	作業装置，燃料等を装備した機体に，乗員1名分（75 kg）と携行工具の質量を加えた全装備質量。
	機械総質量	運転質量に最大積載質量を加えたもの。
	最大積載質量	標準バケット山積容量に，土の密度 1.8 t/m^{3}を乗じた値。

機体質量
作業装置，燃料等
→ 機械質量
機械質量
乗員の質量（75kg）
→ 運転質量
運転質量
最大積載質量
→ 機械総質量

［機械の質量］

用　語	概　要
バケット容量	・**バケット容量**は，バックホウ，ローディングショベルでは，山積み，クラムシェルでは平積みで表示する。 ・**バックホウショベル**：バケット上縁から1:1の勾配で土砂を盛り上げたときの容量。 ・**ローディングショベル**：バケット上縁から1：2の勾配で土砂を盛り上げたときの容量。 山積み容量　山積み容量　平積み容量 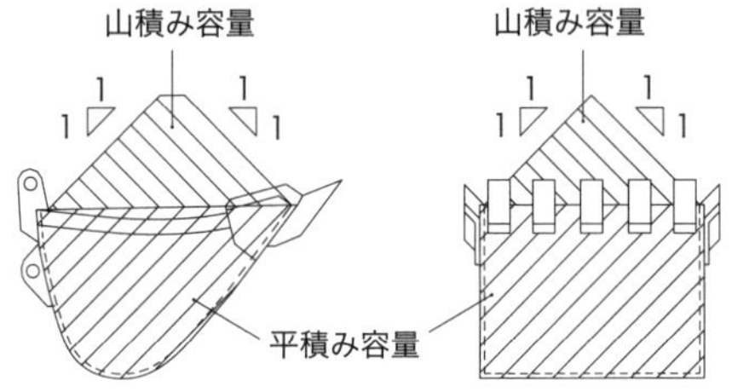 ［バックホウショベル］ 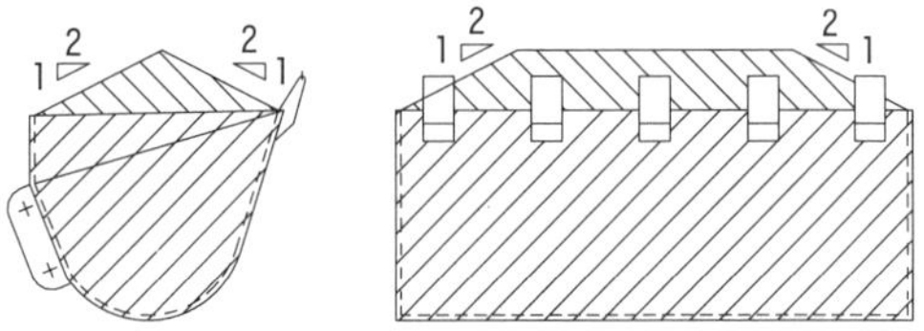 ［ローディングショベル］
接地圧	・接地圧は，運転質量に相当する荷重を**接地面積**（クローラの接地長さに左右クローラシュー幅の和を乗じた値）で除した値で表す。
登坂能力	・**最大登坂能力**は，上昇高さを水平距離で除した割合（%）で表す。 ・**登坂能力**を算出する場合，走行駆動装置の能力，制動装置の能力を考慮するが，機体と路面との滑りによる影響は考慮しない。 ・機械に表示される最大登坂能力は計算により算出した数値で，実際に登坂できる数値より大きくなる。
掘削力	・油圧ショベルの掘削力には，**バケット掘削力**と**アーム掘削力**の２種類がある。

試験によく出る問題

問題 1

油圧ショベルの分類に関する次の記述のうち，**適切でないもの**はどれか。

(1)　ホイール式バックホウは，下部走行体にタイヤを装備したものである。

(2)　ミニショベルとは，運転質量が８ｔ未満の油圧ショベルである。

(3)　油圧ショベル兼用屈曲ジブ式移動式クレーンは，吊上荷重が３ｔ未満である。

(4)　油圧テレスコピック式クラムシェルは，伸縮するアームを装備したクラムシェルである。

解　説

１．ショベル系建設機械の分類（P204）を参照してください。

(1)　**ホイール式**は，下部走行体に**ゴムタイヤを装備**したものです。

(2)　**ミニショベル**とは，運転質量が**６ｔ未満**の油圧ショベルです。

(3)　**油圧ショベル兼用屈曲ジブ式移動式クレーン**は，過負荷制限装置などの安全装置を備えた**クレーン機能をもつショベル**で，吊上荷重は**３ｔ未満**です。

(4)　**油圧テレスコピック式クラムシェル**は，クラムシェルバケットを取り付けた**油圧式の伸縮アーム**を，ブームの先端に装着した機械です。

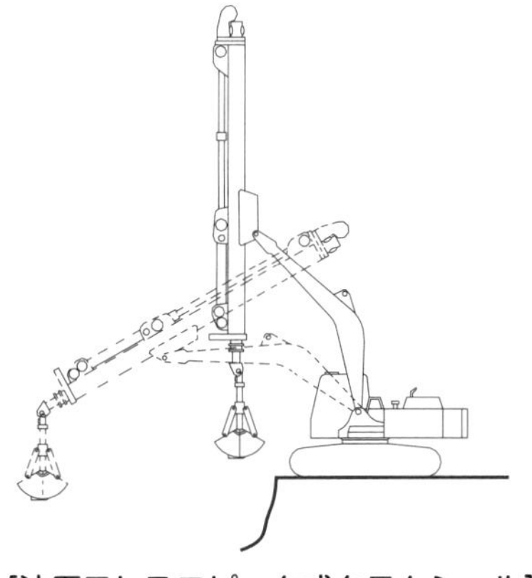

［油圧テレスコピック式クラムシェル］

解答　(2)

3-1 ショベル系建設機械の基本事項

問題2 出る 出る 出る

ショベル系建設機械に関する次の記述のうち，**適切でないもの**はどれか。

⑴ 機械式ショベルは，ウインチドラムに巻かれたワイヤロープによって作業動作を行うショベルである。

⑵ 超小旋回形油圧ショベルは，後端旋回半径がクローラ全幅の 150 %以内で旋回できるよう設計されている。

⑶ 油圧圧砕機は，コンクリート版などをはさんで，圧縮・曲げ作用により破砕するアタッチメントを備えたショベルである。

⑷ 油圧テレスコピック式クラムシェルは，クラムシェルバケットを取り付けた油圧式の伸縮アームを，ブームの先端に装着した機械である。

解 説

1．ショベル系建設機械の分類（P204）を参照してください。

⑴ 機械式ショベルは，エンジンからの動力を機械的に伝達し，**ウインチドラム**に巻かれた**ワイヤロープによって**作業動作を行う掘削機です。

⑵ 超小旋回形油圧ショベルは，**後端旋回半径，フロント旋回半径**ともにクローラ全幅の **120 %以内で旋回**できるよう設計されています。

⑶ **油圧圧砕機**は，コンクリート版などをはさんで，圧縮・曲げ作用により破砕する**アタッチメント**を備えたショベルで，**油圧ブレーカ**に比べて作業騒音が小さく，都市部のビルの解体工事に多く採用されています。

⑷ **問題1** の 解 説 ⑷を参照してください。

解答 ⑵

問題3 出る 出る

油圧ショベルによる作業とその作業に適した特殊仕様に関する組合せとして次のうち，**適切でないもの**はどれか。

（作業）　　　　　　　　　　（特殊仕様）

⑴ 危険，有害領域での作業 ———— 無線操縦機能

⑵ 夜間作業，住宅地内での作業 ——— 低騒音・低振動型

(3) 山岳地での作業 ―――――――――― 掘削深さ一定制御機能
(4) 狭所での作業 ――――――――――― オフセットブーム機能

解 説

3．特殊仕様のショベル系掘削機（P206）を参照してください。

(1) **無線操縦機能**のある遠隔操縦形油圧ショベルは，危険な場所での無人化施工ができます。

(2) 夜間作業，住宅地内での作業には，**低騒音・低振動型**が適しています。

(3) 山岳地での作業には，ヘリコプターで運搬可能な**分解形**が適しています。

(4) 狭所での作業には，旋回半径が小さく，**オフセットブーム機能**などを備えた超小旋回形油圧ショベルが適しています。

解答 (3)

問題4

油圧ショベルによる作業と特殊仕様に関する記述の組合せとして次のうち，**適切なもの**はどれか。

（作業）　　　　　　　　（特殊仕様）
(1) 狭所での作業 ―――――― 超ロングアーム型仕様
(2) 住宅地での作業 ――――― 作業装置，足回りの強化
(3) 解体の作業 ――――――― フロントガードの装着
(4) 超軟弱地での作業 ―――― 掘削面一定制御システム機能

解 説

3．特殊仕様のショベル系掘削機（P206〜P207）を参照してください。

(1) 狭所での作業には，**超小旋回形**が適しています。

(2) 住宅地での作業には，**低騒音型，低振動型**の仕様が適しています。

(3) 解体の作業には，**トップガード，フロントガード等の保護装置**が装着された油圧ショベルが適しています。

(4) 超軟弱地での作業には，湖沼・河川・水路などの軟弱地盤での作業を目的とした**泥上掘削機**が適しています。

解答 (3)

問題5 出る 出る 出る

油圧ショベルの性能・諸元に関する次の記述のうち，**適切でないもの**はどれか。

(1) 登坂能力は，上昇高さを水平距離で除した割合（%）で表す。

(2) アーム掘削力は，アームシリンダだけを動作させたときのバケットの刃先に生じる力である。

(3) 接地圧は，運転質量を左右の履帯幅の合計で除した値をいう。

(4) 最大掘削半径は，作業装置を水平方向に最大に伸ばしたバケット先端から旋回中心までの距離である。

解説

4．油圧ショベルの性能・諸元（P207）を参照してください。

(1) **登坂（とはん）能力**は，上昇高さHを水平距離Lで除した割合 $\left(\frac{H}{L}\right)$ で表します。

(2) 油圧ショベルの掘削力には，バケット掘削力とアーム掘削力の２種類があり，**アーム掘削力**は**アームシリンダだけを動作**させたときのバケットの刃先に生じる力です。

(3) 接地圧は，**運転質量**を**左右の履帯の接地面積の合計**で除した値をいいます。

(4) **最大掘削半径**は，作業装置を水平方向に最大に伸ばしたバケット先端から旋回中心までの距離です。

解答 (3)

問題6 出る 出る 出る

ショベル系建設機械の諸元に関する次の記述のうち，**適切でないもの**はどれか。

(1) クローラ接地面積とは，クローラ接地長さに左右のシュー幅の和を乗じた値である。

(2) ローディングショベルのバケットの山積み容量とは，バケットの上縁から１：２の勾配で掘削物を盛り上げたときの容量である。

(3)　機械質量とは，運転質量から乗員の質量（75 kg）を差し引いた質量である。
(4)　アーム長さとは，ブームフートピン中心からアームヒンジ中心までの距離である。

解　説

4．油圧ショベルの性能・諸元を参照してください。

(1)　クローラの**接地面積**は，クローラ接地長さに左右のシュー幅の和を乗じて算出します。
(2)　**ローディングショベル**の場合，バケットの山積み容量は，バケットの上縁から**1：2の勾配**で掘削物を盛り上げたときの容量です。
(3)　**機械質量**とは，運転質量から乗員の質量（75 kg）を除いた質量で，乗員の質量を無視できないミニショベルで使われています。
(4)　アーム長さとは，**バケットヒンジピン中心**から**アームヒンジ中心**までの距離です。

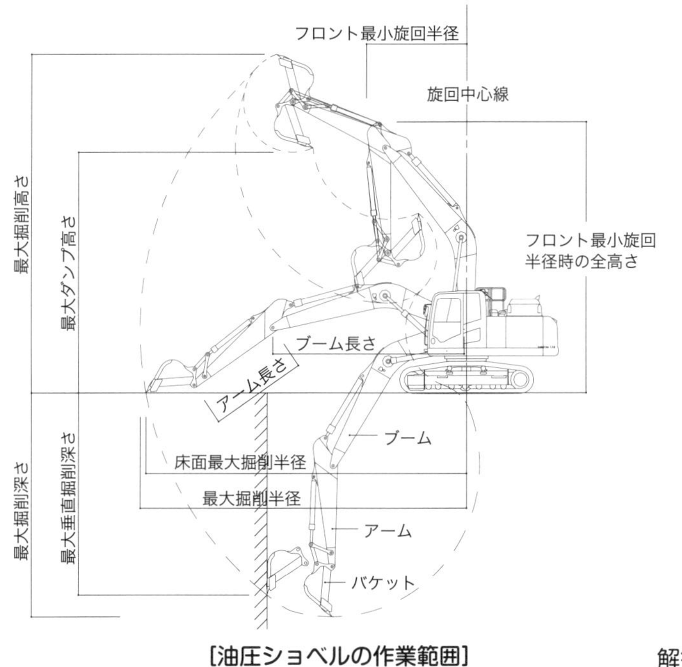

[油圧ショベルの作業範囲]

解答　(4)

26 ショベル系建設機械の構造・機能

要点の整理と理解

1．油圧ショベルの構造・機能

油圧ショベルの装置と概要

装　置	概　要
エンジン	・油圧ショベルの原動機には，**ディーゼルエンジン**が多く採用されている。 ・燃料は，一般に走行時，バケットに土砂を入れての旋回時，ブーム上げ動作時に多く消費する。 ・燃費は，単位燃料当たりの作業量（m^3/ℓ）で表す。 ・オートアイドルとは，操作レバーを操作していないときに，自動的にエンジン回転速度を下げる制御である。
動力伝達装置	・油圧ユニットから走行装置までの油圧経路は，**油圧ポンプ**→コントロールバルブ→**センタジョイント**→油圧モータである。 ・機体の走行は，油圧モータの駆動力を**減速機**と**スプロケット**を経て，クローラに伝えて行われる。 （上部旋回体）エンジン→油圧ポンプ→コントロールバルブ→各油圧シリンダ（ブーム，アーム，バケット） コントロールバルブ→センタジョイント （下部走行体）センタジョイント→油圧モータ→減速機→スプロケット→クローラ ［走行用の動力伝達系統］

装置		概要
旋回装置		・**旋回装置**は，上部旋回体を旋回させる旋回モータと減速装置，**旋回ベアリング**，**センタジョイント**で構成されている。 ・**作動油**は，油圧ポンプから下部走行体の油圧モータにセンタジョイントを経由して送られる。 ・一般に**旋回ベアリング**のインナレース内側に歯が切ってあり，これとかみ合う**ピニオン**が上部走行体に設けられている。 ・旋回方向の切換えは，コントロールバルブによって旋回油圧モータの回転方向を変えて行う。 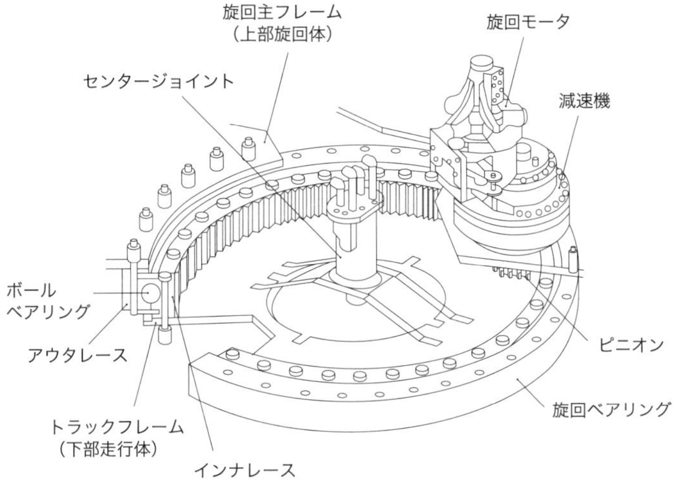 ［旋回装置］
	旋回ブレーキ	・旋回動作を制動停止させるもので，一般にコントロールバルブまたは旋回モータのブレーキバルブで行う。
	旋回駐車ブレーキ	・停止した上部旋回体を停止状態に保持するもので，一般に旋回モータに直結した機械式のネガティブブレーキで行う。 ・停止時はバネの力でブレーキがかかり，旋回操作をすると自動的にブレーキが解除される。
	旋回ロック	・駐車時に旋回体を固定するもので，旋回フレームとトラックフレームをピンでロックする。

装　置	概　要
走行装置	・下部走行体には，**ホイール式**，**クローラ式**，**トラック式**がある。 ・クローラ式の接地圧は，ホイール式に比べて低い。 ・トラック式バックホウのエンジンは，走行用とバックホウ用を別にもっている。 ・ホイール式とは，下部走行体がクローラ式でなく空気タイヤ式のものをいう。 ・大型油圧ショベルの下部走行体には，鋼製クローラ式が一般的に採用されている。 ・機体の走行は，油圧モータの駆動力を減速機とスプロケットを経て，クローラに伝えて行われる。
操作装置	・クローラ式でのステアリングは，走行油圧モータを駆動し，左右のクローラベルトの回転数を変えて行う。 ・走行駐車ブレーキは傾斜地などで長時間停止する場合，走行油圧モータの内部リークなどにより機体が徐々に移動するのを防止する。 ・クローラ式の走行駐車ブレーキには，湿式多板式のネガティブブレーキ装置（停止時ロック，走行時開放）が用いられている。
操縦装置	・操縦装置は，コントロールバルブによって作動油の流れ方向の切換などを行う**レバー**，**ペダル**，**リンク機構**などからなっている。 ・機械リンク式の操縦装置は，リンク機構を介して手動により直接コントロールバルブやブレーキを動かす。 ・機械リンク式の操縦装置は，手動により直接動かすので，機械が大型になると操作力も大きくなる。 ・操縦装置の方式は，**油圧パイロット式**が主流である。

2．油圧ショベルの作業装置

油圧ショベルの作業装置は，**ブーム**，**アーム**，**バケット**，**油圧シリンダ**，油圧配管などで構成されています。

また，**オフセットブーム**は，**アーム全体**を左右にスイングできるようになっており，オフセットブーム付バックホウは，狭い作業現場用の**超小旋回形油圧ショベルに採用**されています。

主な作業装置と概要

作業装置		概　要
バックホウアタッチメント	エジェクタ付きバケット	掘削時にバケット内土砂を強制的に押し出すバケットで，粘着土の掘削に適する。
	梯形バケット	V 形溝の掘削作業に適する。
	法面バケット	のり面の掘削仕上げ作業に適する。
ローディングショベルアタッチメント		標準バケット容量より大型の専用バケットを装備し，主に積込み作業に用いられる。
クラムシェルアタッチメント		クラムシェルアタッチメントを装着した場合は，バケットに替えてアームを3段に伸縮できるテレスコピック式アームを装備した深掘り用のものがある。
グラップルアタッチメント		油圧ショベルのアーム先端に，開閉してつかむ装置を取付けて物をつかみ，持上げ，移動または積込みをする作業装置。
解体用アタッチメント	油圧ブレーカ	油圧を利用してチゼルに打撃力を与えてコンクリートを破砕する。
	油圧圧砕機	内蔵する油圧シリンダにより，テコの原理を使ってコンクリートを破砕する。舗装路盤の解体作業では，一般的に油圧圧砕機を取付けて行う。

試験によく出る問題

問題 7

油圧ショベルの構造に関する次の記述のうち，**適切でないもの**はどれか。

(1)　油圧ショベルの原動機には，ディーゼルエンジンが多く採用されている。

(2)　旋回装置は，上部旋回体を旋回させる旋回モータと減速装置，旋回ベアリング，センタジョイントで構成されている。

(3)　旋回ロックは，停止時はバネの力でブレーキがかかり，旋回操作をすると自動的にブレーキが解除される。

⑷　下部走行体には，ホイール式，クローラ式，トラック式がある。

解説

1．油圧ショベルの構造・機能（P214〜216）を参照してください。

⑴　油圧ショベルの原動機には**ディーゼルエンジン**が採用されています。燃焼室形式は**直接噴射式**でターボチャージャ付きのものが多く，排気量の小さいミニショベルでは渦流室式が多いです。

⑵　旋回装置は，上部旋回体を旋回させる**旋回モータ**と**減速機**，**旋回ベアリング**，上部旋回体が回転しながら下部走行体に油圧を送る**センタジョイント**から構成されています。

⑶　**旋回ロック**は，駐車時に旋回体を固定するもので，旋回フレームとトラックフレームを**ピンでロック**します。記述の内容は，**旋回駐車ブレーキ**の内容です。

⑷　下部走行体には**クローラ式**とタイヤ式があり，タイヤ式には**ホイール式**と**トラック式**があります。

解答　⑶

問題8　出る　出る　出る

油圧ショベルの油圧ユニットから走行装置までの動力伝達装置の油圧経路として次の記述のうち，**適切なもの**はどれか。

⑴　油圧モータ→センタジョイント→コントロールバルブ→油圧ポンプ

⑵　油圧ポンプ→センタジョイント→コントロールバルブ→油圧モータ

⑶　油圧モータ→コントロールバルブ→センタジョイント→油圧ポンプ

⑷　油圧ポンプ→コントロールバルブ→センタジョイント→油圧モータ

解説

1．油圧ショベルの構造・機能（P214）を参照してください。

走行用の動力伝達系統は，エンジン→**油圧ポンプ**→**コントロールバルブ**→**センタジョイント**→**油圧モータ**→減速機→**スプロケット**→クローラで，⑷が正解です。

解答　⑷

油圧ショベルの構造・機能に関する次の記述のうち，**適切なもの**はどれか。

(1)　クローラ式の接地圧は，ホイール式に比べて高い。

(2)　クローラ式でのステアリングは，左右のクローラの油圧ポンプを異なる回転速度にして行う。

(3)　走行駐車ブレーキは，走行動作を無理なく停止させるなどのために用いられるものである。

(4)　機械リンク式の操縦装置は，リンク機構を介して手動により直接コントロールバルブやブレーキを動かす。

解 説

1．油圧ショベルの構造・機能（P216）を参照してください。

(1)　**クローラ式**は，ホイール式に比べて接地圧が**低い**。

(2)　クローラ式でのステアリングは，走行油圧モータを駆動し，**左右のクローラベルトの回転数**を変えて行います。

(3)　走行駐車ブレーキは，傾斜地などで長時間停止する場合に**機体が徐々に移動するのを防止**します。

(4)　機械リンク式の操縦装置は，リンク機構を介して**手動で直接コントロールバルブやブレーキを動かす**ので，操作感覚が優れています。

解答　(4)

問題10　出る　出る　出る

油圧ショベルの作業装置に関する仕様と主な機能・用途に関する組合せとして次のうち，**適切でないもの**はどれか。

	（仕様）	（主な機能・用途）
(1)	エジェクタ付バケット	バケット内土砂を強制的に押し出す
(2)	梯形（ていけい）バケット	V形溝の掘削作業
(3)	オフセットブーム	建築物に近接した側溝掘り作業
(4)	クラムシェルアタッチメント	のり面の掘削仕上げ作業

解説

2．油圧ショベルの作業装置（P216）を参照してください。

⑴　**エジェクタ付きバケット**は，粘着土の掘削時に使用され，**バケット内土砂を強制的に押し出す**バケットです。

⑵　**梯形（三角）バケット**は，**V形溝の掘削**に適したバケットです。

⑶　**オフセットブーム付バックホウ**は，狭い作業現場用の**超小旋回形油圧ショベルに採用**されています。

⑷　**クラムシェルアタッチメント**は，**深掘り用**の作業で使用されます。のり面の掘削仕上げ作業には，**法面バケット**が適しています。

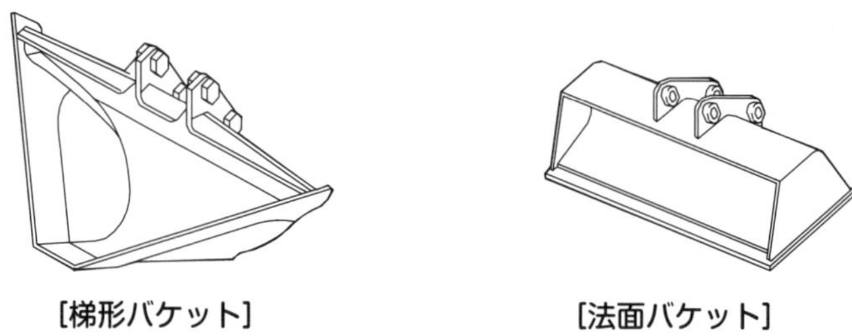

［梯形バケット］　［法面バケット］

解答　⑷

問題11 出る 出る 出る

油圧ショベルの作業装置に関する次の記述のうち，**適切なもの**はどれか。

⑴　オフセットブームは，油圧シリンダによってアームを左右に平行移動できるようになっている。

⑵　エジェクタ付きバケットは，V形溝掘削に適したバケットである。

⑶　クラムシェルアタッチメントを装着した場合は，移動式クレーンの適用を受ける。

⑷　グラップルアタッチメントは，底開き型のボトムダンプ型バケットである。

解 説

2．油圧ショベルの作業装置（P216）を参照してください。

(1) **オフセットブーム**は，ブームの前半分が平行リンク形をしており，油圧シリンダによって**アームを左右に平行移動**できるようになっています。

(2) **問題10** の 解 説 (1)を参照してください。
V 形溝掘削に適したバケットは，**梯形バケット**です。

(3) 移動式クレーンの適用を受けるのは，油圧ショベル作業と，クレーン作業ができる**油圧ショベル兼用屈曲ジブ式移動クレーン**です。

(4) **グラップルアタッチメント**は，油圧ショベルのアーム先端に**開閉してつかむ装置**を取付けて物をつかみ，持上げ，移動または積込みをする作業装置です。

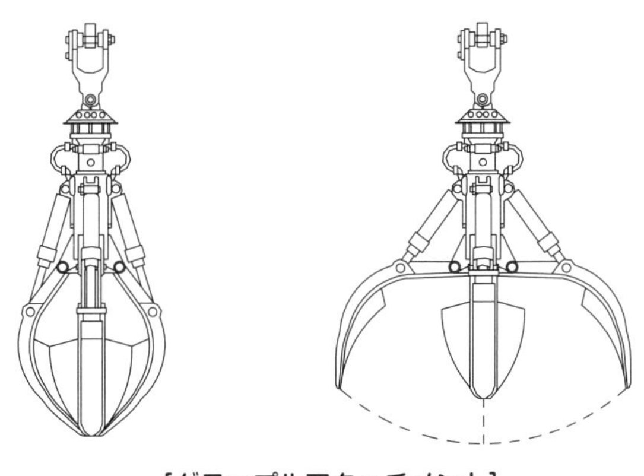

[グラップルアタッチメント]

解答 (1)

問題12 出る 出る 出る

油圧ショベルの作業装置に関する次の記述のうち，**適切なもの**はどれか。

(1) 油圧圧砕機は，油圧を利用してチゼルに打撃力を与えるものである。

(2) オフセットブームは，油圧シリンダによってブーム全体を左右にスイングできるようになっている。

3-1 ショベル系建設機械の基本事項

⑶　ローディングショベルアタッチメントは，主に地山の掘削作業に用いられる。
⑷　油圧ショベルの作業装置は，ブーム，アーム，バケット，油圧シリンダ，油圧配管などで構成されている。

解 説

2．油圧ショベルの作業装置（P216）を参照してください。

⑴　油圧圧砕機は，内蔵する油圧シリンダにより，**テコの原理を使って**コンクリートを破砕するものです。記述の内容は，**油圧ブレーカ**の内容です。

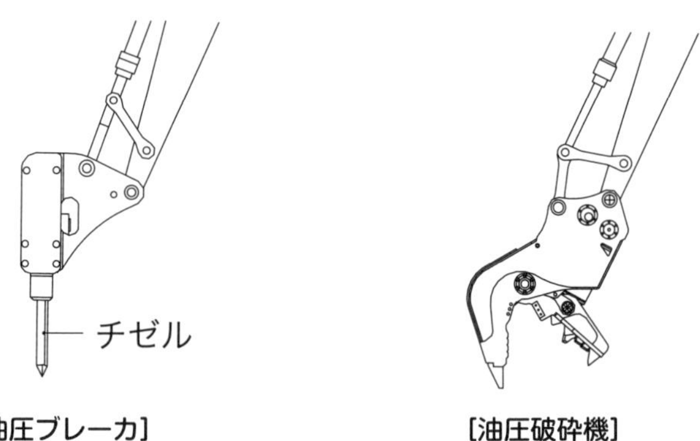

［油圧ブレーカ］　［油圧破砕機］

⑵　**問題11** の 解 説 ⑴を参照してください。

オフセットブームは，油圧シリンダによって**アーム全体**を左右にスイングできるようになっています。

⑶　**ローディングショベルアタッチメント**は，主に**積込み作業**に用いられます。

⑷　油圧ショベルの作業装置は，**ブーム**，**アーム**，**バケット**，油圧シリンダ，油圧配管などで構成されています。

解答　⑷

27 点検・整備と運転・取扱い

要点の整理と理解

1. 点検・整備の注意事項

第2章　トラクタ系建設機械との類似内容もあるので，「P176　21 点検・整備と運転・取扱い　**1. 点検・整備の注意事項**」を参照してください。

点検・整備時の主な注意事項
①　点検・整備は，指定された運転時間または日数のいずれかに達したら実施する。
②　油量は，多すぎても少な過ぎても好ましくないので，適量範囲になるように調節する。
③　油量の点検は，エンジンを停止してから５分以上経過し，油面レベルが落ち着いてから行う。
④　点検・整備や修理中は，運転席に「点検・整備中」または「始動禁止」の注意札をかけ，エンジンキーは抜いておく。
⑤　電気系統を整備する場合は，ショートを防止するためバッテリの端子をはずしてから行う。

2. ショベル系建設機械の運転・取扱い

運転・取扱いの基本事項
①　機械を運転するときは，エンジン始動後，エンジンオイルや作動油温度が適正な温度になるまで暖機運転を行ってから作業に入る。
②　運転中，地形や足場の状況に不安を感じたときは，必ずいったん停止して状況を調べ，安全を確認してから作業する。
③　エンジン停止後に作業装置を急激に降下させない。
④　機械から離れるときは，必ずバケットを接地し，エンジンを停止させる。
⑤　作業装置や機械後端の旋回半径内には，人や他の機械などを入れてはならない。

各作業条件下における運転・取扱いの留意事項

各作業条件	留意事項
軟弱地盤での走行	・機械がめりこむ軟弱な路面を走行するときは，敷板などを敷いて走行する。 ・不整地や軟弱地でのステアリングは急旋回を避け，ゆっくりと連続的に旋回して走行する。 ・軟弱地及び砂利道では，クローラベルトはやや緩く張る。
傾斜地での走行	・傾斜地での登り降りは，バケットを地上 20～30 cm 程度に保持して慎重に行う。 ・傾斜地を降りるときは，作業装置をブレーキや支えに併用して降りると安全な走行ができる。 ・急斜面の途中ではステアリングを切ってはならない。 ・傾斜面を走行するときは，必ず旋回ブレーキをかける。
河川の渡渉	・河川を自走で渡るときは，バケットを使って水深や川底を調べながら慎重に走行する。 ・水中走行する場合の許容水深は，クローラの上ローラ転動上面が限界である。
高圧線下の通過	・6,600 V の高圧線の下を通るときは，機体の最も高い部分と電線との離隔を２ m 以上確保する。 ・作業装置の一部が電線に接触したときは，機械に接触した状態で地上に降りると感電するので機械からなるべく離れた所に飛び降りる。
その他	・岩盤，岩石地や河川敷などの荒場では，ゴムクローラを使用しない。 ・走行時は，バケットを地面から 40 cm 程度の高さに保ち走行する。 ・寒冷時の冷却水は，最低気温に適応した不凍液の濃度に調整する。 ・海水中の作業後は，海水の腐食に弱い青銅やアルミニウム製の部品は塩分除去を十分に行う。

3．バックホウの標準操作方式

操縦装置	機　能
右作業レバー	前方へ押すとブームを下げる。
	後方へ引くとブームを上げる。
	右に倒すとバケットダンプ（中身をおとす）する。
	左に倒すとバケット掘削する。
右走行ペダル（右走行レバー）	前部を踏み下げる（レバーの場合は前方に押す）と右クローラが前進する。
	後部を踏み下げる（レバーの場合は後方に引く）と右クローラが後進する。
左走行ペダル（左走行レバー）	前部を踏み下げる（レバーの場合は前方に押す）と左クローラが前進する。
	後部を踏み下げる（レバーの場合は後方に引く）と左クローラが後進する。
左作業レバー	前方へ押すとアームを押し出す。
	後方へ引くとアームを引き戻す。
	右に倒すと右旋回する。
	左に倒すと左旋回する。

※操作レバー等の配置は，右から右作業レバー，右走行ペダル（右走行レバー），左走行ペダル（左走行レバー），左作業レバーの順であること。

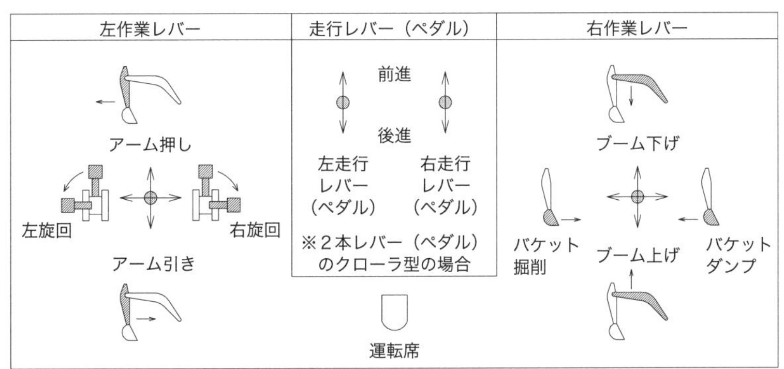

［バックホウの標準操作方式］

3-2 運転及び取扱い

試験によく出る問題

問題13

　ショベル系建設機械の運転・取扱いに関する次の記述のうち，**適切なもの**はどれか。

(1)　急な傾斜地では，バケットを地面から 50 cm 以上離して走行する。
(2)　水中走行する場合の許容水深は，クローラの下ローラ上面が限界である。
(3)　6,600 V の高圧線の下を通るときは，機体の最も高い部分と電線との離隔を 2 m 以上確保する。
(4)　軟弱地及び砂利道では，クローラベルトはやや張りぎみにする。

解説

　2．ショベル系建設機械の運転・取扱い（P224）を参照してください。

(1)　急な傾斜地では，バケットを地面から **20〜30 cm 程度**に保持して慎重に走行します。
(2)　水中走行する場合の許容水深は，クローラの**上ローラ**転動上面が限界です。
(3)　6,600 V の高圧線の下を通る場合は，機体の最も高い部分と電線との離隔を**2 m 以上確保**します。

安全離隔距離

電　圧	安全離隔距離
6,600 V 以下	2 m 以上
22,000 V 以下	3 m 以上
66,000 V 以下	4 m 以上
154,000 V 以下	5 m 以上
275,000 V 以下	7 m 以上
500,000 V 以下	11 m 以上

(4)　軟弱地及び砂利道では，クローラベルトを**やや緩**（ゆる）**く**張ります。

解答　(3)

問題14

油圧ショベルの運転・取扱いに関する次の記述のうち，**適切でないもの**はどれか。

⑴　機械から離れるときは，バケットを接地しエンジンを停止させキーを抜く。

⑵　機械を運転するときは，ならし運転や暖機運転をする。

⑶　岩盤，岩石地や河川敷などの荒場では，ゴムクローラを使用する。

⑷　作業装置と機械後端の旋回半径内には，人や他の機械などが立ち入らないようにする。

解説

2．ショベル系建設機械の運転・取扱い（P223～P224）を参照してください。

⑴　機械から離れる場合は必ず**エンジンを停止**し，荷物やバケットは地面に**降した状態**にします。

⑵　エンジン始動後は十分な**暖機運転**を行い，作動油が規定の油温になってから作業を開始します。

⑶　岩盤，岩石地や河川敷などの荒場で，**ゴムクローラ**を使用するのは不適切です。

⑷　作業装置と機械後端の**旋回半径内**には，人や他の機械などが立ち入らないようにします。

解答　⑶

問題15

出る　出る　出る

油圧ショベルの走行操作に関する次の記述のうち，**適切なもの**はどれか。

⑴　不整地や軟弱地でのステアリングは急旋回で走行する。

⑵　河川を自走で渡るときは，バケットが水に浸からないよう慎重に走行する。

⑶　機械がめりこむ軟弱な路面を走行するときは，敷板などを敷いて走行する。

⑷　傾斜地での登り降りは，バケットを地上からできるだけ高く保持して行う。

解 説

2．ショベル系建設機械の運転・取扱い（P224）を参照してください。

⑴ 不整地や軟弱地でのステアリングは**急旋回を避け**，ゆっくりと連続的に旋回して走行します。

⑵ 河川を自走で渡るときは，**バケットを使って**水深や川底を調べながら慎重に走行します。

⑶ 機械が沈む軟弱な路面を走行するときは，**敷板などを敷いて**走行します。

⑷ **問題13** の 解 説 ⑴を参照してください。

解答 ⑶

問題16

標準操作方式のバックホウのレバー操作に関する次の記述のうち，**適切なもの**はどれか。

⑴ 左操作レバーを前方に倒すと，アーム引き動作となる。

⑵ 左操作レバーを左に倒すと，右旋回動作となる。

⑶ 右操作レバーを右に倒すと，バケットダンプ動作となる。

⑷ 右操作レバーを前方に倒すと，ブーム上げ動作となる。

解 説

3．バックホウの標準操作方式（P225）を参照してください。

⑴ 左操作レバーを**前方に倒す**と，**アーム押し**動作となります。

⑵ 左操作レバーを**左に倒す**と，**左旋回**動作となります。

⑶ 右操作レバーを**右に倒す**と，**バケットダンプ**動作となります。

⑷ 右操作レバーを**前方に倒す**と，**ブーム下げ**動作となります。

解答 ⑶

28 故障と原因

要点の整理と理解

1. 故障内容と主な原因

油圧ショベルの故障内容と主な原因

故障内容	主な原因
長時間休車した後，動作にタイムラグがある	・油圧シリンダに空気が溜まる
作業装置，旋回，走行とも作動しない（油圧ポンプの音が大きい）	・油圧ポンプの故障 ・作動油量の不足
作業装置，旋回，走行とも作動しない（油圧ポンプの音は変わらない）	・パイロットポンプの破損 ・ロックレバーが解除されていない
全操作において力不足	・作動油量の不足 ・油圧ポンプの摩耗による機能低下
片側レバーが作動しない	・バルブ内リリーフバルブの機能不良 ・油圧ポンプの故障
走行を除く１操作だけが作動しない	・パイロットバルブの故障 ・配管またはホースの破損
１シリンダが作動しない	・油圧シリンダ内のオイルシールの破損
作動油の力不足	・パイロットバルブの故障
片側または左右とも走行しない	・センタジョイントの破損 ・走行モータの破損
上部旋回体が旋回しない	・旋回駐車ブレーキ解除バルブの破損 ・旋回モータの破損 ・旋回駐車ブレーキの破損
作動油の油温が上がる	・オイルクーラの汚れ ・エンジンファンベルトの張力不足
低圧ホースの油漏れ	・クランプの緩み
走行性がよくない	・トラックリンクの張り過ぎ，緩み過ぎ

試験によく出る問題

油圧ショベルの故障内容と主な故障原因の組合せとして次のうち，**適切なもの**はどれか。

	（故障内容）	（主な故障原因）
(1)	全操作力不足 ―	パイロットバルブの故障
(2)	作動にタイムラグがある ―	油圧シリンダに空気が溜まる
(3)	1操作だけ作動しない ―	油圧ポンプの故障
(4)	油温が上がる ―	センタジョイントの故障

解説

(1) **全操作力不足**の原因として，**作動油量の不足，油圧ポンプの摩耗による機能低下**などが考えられます。

(2) **作動にタイムラグがある**原因として，油中の空気が分離してシリンダ上部に**空気が溜まる**ためであると考えられます。

(3) 走行を除く**1操作だけが作動しない**原因として，**パイロットバルブの故障，配管またはホースの破損**などが考えられます。

(4) 作動油などの**油温が上がる**原因として，**オイルクーラの汚れ，エンジンファンベルトの張力不足**などが考えられます。

解答 (2)

油圧ショベルの故障内容と主な故障原因に関する組合せとして次のうち，**適切なもの**はどれか。

	（故障内容）	（主な故障原因）
(1)	左右とも走行しない ―	オイルクーラの汚れ
(2)	作動油の油温が上がる ―	エンジンファンベルトの張力不足
(3)	旋回しない ―	シリンダ内のオイルシールの破損
(4)	低圧ホースの油漏れ ―	トラックリンクの緩み過ぎ

解 説

(1) **左右とも走行しない**原因として，**センタジョイントの破損，走行モータの破損**などが考えられます。

(2) **問題17** の **解 説** (4)を参照してください。

(3) **旋回しない**原因として，**旋回モータの破損，旋回駐車ブレーキの破損**などが考えられます。

(4) **低圧ホースの油漏れ**の原因として，**クランプの緩み，サクションマニホールドの不具合**などが考えられます。

解答 (2)

問題19

油圧ショベルの故障内容と主な故障原因に関する記述の組合せとして次のうち，**適切なもの**はどれか。

	（故障内容）	（主な故障原因）
(1)	長時間休車した後，動作にタイムラグがある	配管またはホースの破損
(2)	作業装置，旋回とも作動しない	走行モータの破損
(3)	全操作力不足	作動油量の不足
(4)	バケット操作だけ作動しない	センタジョイントの破損

解 説

(1) **問題17** の **解 説** (2)を参照してください。

長時間休車した後，**動作にタイムラグがある**原因として，**油圧シリンダに空気が溜まる**ことが考えられます。

(2) **作業装置，旋回ともに作動しない**（油圧ポンプの音が大きくなる）原因として，**油圧ポンプの故障，作動油量の不足**などが考えられます。

(3) **問題17** の **解 説** (1)を参照してください。

(4) **問題17** の **解 説** (3)を参照してください。

バケット操作など**1操作だけ作動しない**原因として，**パイロットバルブの故障，配管またはホースの破損**などが考えられます。

解答 (3)

下記の油圧ショベルの故障内容の原因として次のうち，**適切なもの**はどれか。

（故障内容）
作業装置および走行装置は正常に作動するが，上部旋回体が旋回しない。

(1) 油圧シリンダ内のオイルシールの破損
(2) 作動油量の不足
(3) 旋回駐車ブレーキ解除バルブの破損
(4) 油圧ポンプの故障

解 説

問題18 の 解 説 (3)を参照してください。
上部旋回体が**旋回しない**原因として，**旋回駐車ブレーキ解除バルブの破損**，**旋回モータの破損**，**旋回駐車ブレーキの破損**などが考えられ，適切なものは(3)です。

解答 (3)

油圧ショベルが走行しない場合の原因として次のうち，**適切なもの**はどれか。
(1) シリンダ内オイルシールの破損
(2) 旋回モータの破損
(3) センタジョイントの破損
(4) 旋回駐車ブレーキの破損

解 説

問題18 の 解 説 (1)を参照してください。
油圧ショベルが走行しない場合の原因として，**センタジョイントの破損**，**走行モータの破損**などが考えられ，適切なものは(3)です。

解答 (3)

29 ショベル系建設機械による施工

要点の整理と理解

1. ショベル系建設機械の選定

機種と適正内容

機 種	適正内容
バックホウ	・機械が設置された地盤より下方の掘削に適している。
ホイールローダ	・地盤より上方の掘削に適している。
ローディングショベル	・ホイールローダと比較して機動性に劣っている。
フェースショベル	・掘削機が設置されている地盤より上方の掘削に適している。 ・地表面下の垂直掘削となる立坑掘削に適していない。
クラムシェル	・掘削深さが 20 m 程度を超える掘削や水中掘削の場合に適している。 ・掘削力が弱いため硬くしまった地盤はあらかじめ緩めておく。
油圧テレスコピック式クラムシェル	・掘削深さが５ m 程度を超える場合や土留め切ばりなどで，掘削場所の開口間口（まぐち）が狭い場合に適している。 ・ワイヤロープ式クラムシェルより低揚程の掘削に適している。 ・掘削深さが５～20 m の範囲の掘削に適している。
ドラグライン	・浅く広い範囲の河川浚渫（しゅんせつ）（水底を掘る）作業に適している。

フェースショベルは，バックホウバケットを反転した形式のアタッチメントを装備した油圧ショベルです。

3-3 施工方法及び作業能力

2. ショベル系建設機械による作業

作業上の注意事項と概要

注意事項	概　要
効率的な運転	・作業中は，シリンダをストロークエンドまで作動させないで，余裕のある範囲で作業を行う。 ・走行時は，バケットの高さを地面から 40 cm 程度に保持する。(油圧テレスコピック式クラムシェル：地上 50 cm 程度)
機械の配置	・機械は水平に据えて，掘削，旋回時の安定を図る。
排水の処理	・湧水のある場所の掘削では，上り勾配（3～5％の角度）に向かって作業を行うと排水性がよい。
バケットの大きさ	・単位体積重量が重い土砂，または硬い土砂を掘削する場合は小容量のバケットを用いる。
バケットの爪の交換	・硬い土を掘削するときは，バケットの爪をシャープな爪に交換する。 ・バケットの両端の爪が摩耗して短くなり中央部との差が 20～30 mm 程度になったときは，外側と内側の爪を交換する。
エンジンの回転速度	・走行時は，エンジンの回転速度を 80 %程度に下げると燃料節約になり騒音も低下する。
掘削高さ・深さ	・ベンチカット工法のベンチ高さは，掘削機の最適掘削高さまたは最適掘削深さに取る。
掘削角	・軟らかい土の掘削は，掘削角を大きくして厚く削ると，効率的な掘削ができる。 ・硬い土の掘削は，掘削角を小さくして切削抵抗を小さくすると，効率的な掘削ができる。 掘削角：大 ［軟らかい土の掘削］ 掘削角：小 ［硬い土の掘削］

注意事項	概　要
掘削中の旋回	・掘削地盤が硬い場合，バケットを地中にいれた状態で機体を後退させてはならない。 ・敷均しのためにバケットを左右に旋回させてはならない。
バケットの操作	・硬い地盤では，バケットをツルハシのように叩きつけて掘削しない。 ・バケットで杭打ち作業を行ってはならない。
積込み作業	・ダンプトラックへの積込みは，荷台の後方から作業装置を旋回して行う。 ・積込み作業では，旋回角度を小さくし**サイクルタイム**を短縮するほど時間当たりの作業量は大きくなる。
建設機械の組合せ	・複数の建設機械の組合せによる作業全体の能力は，能力が小さい方の建設機械に左右される。
その他	・機体が浮くような，機体重量を利用した掘削は行わない。 ・**油圧テレスコピック式クラムシェル**による掘削では，アームシリンダによるバケットの押しつけ掘削を行わない。

3．バックホウによる作業

バックホウによる作業の種類と主な留意点

作業の種類	主な留意点
掘削作業	・基本的な作業姿勢は，クローラの向きを掘削方向に合わせ，走行モータは車体の後側とする。 ・斜面を上るときは，走行モータを下方側にして前進する。 ・掘削は，主としてアームの引込み力を利用する。 ・足元の掘削は，路肩が崩壊する危険性があるのでクローラを掘削面に対して直角にする。 ・強い掘削力を必要とするときは，**ブーム**と**アーム**の交差角を 90 度よりやや大きめにして，ゆっくりと掘削する。 ・斜面上での作業は，掘削及び旋回の安定性確保のために，盛土等により水平に足場を築く。

作業の種類	主な留意点
法面作業	・硬い地盤の法切りは，バケットで少しずつ削りながらかき落とす。 ・軟らかい地盤の法切りは，バケットの掘削角を小さくしてアームでかき落とす。 ・法面の整正は，アームとブームの複合操作でゆっくりと行う。 ・土砂の法切りは，法面バケットを装着するときれいに仕上がる。
積込み作業	・バックホウの設置地盤高さは，ダンプトラックの走行地盤高さより高くすると荷台の視認性がよくなる。 ・バックホウの左右にダンプトラックを両着けに配置すると，車両の入換時間が短縮でき作業能率が向上する。 ・大塊などの積込みは，細粒分を先に積込み，その上に大塊を積み込む。 ・ダンプトラックなどへの積込みは，荷台後方から旋回して行う。
溝掘削	・溝掘削の作業範囲と掘削角度は，垂直にしたアームの前方 45 度から手前 35 度の範囲が適切である。 ・溝幅がバケットの２倍以上ある場合は，車体を左右に移動して溝の両側を所定の深さまで掘削してから中央部を掘削する。 ・溝幅がバケット幅の２倍未満の溝は，左右の掘削深さに差をつけて交互に数段に分けて掘削する。 ・溝の側壁の仕上げは，ブームシリンダでバケットを上下させ，側壁を地表から溝底まで一気に削り落とす。 ・溝の底の整形は，バックホウが後退する前に終わらせる。 ・浅い溝の掘削は，掘削の進行に応じて車体を後退させて行う。

4．クラムシェルによる作業

クラムシェルによる作業上の主な留意事項

機械式クラムシェル
①　機械式は，油圧テレスコピック式では困難な水中掘削に適している。 ②　掘削深さが 20 m を超える場合の機種選定は，機械式クラムシェルと小型バックホウの組合せとする。

③ ブームは立てた方が，旋回が容易で高い所へダンプでき，重い荷を吊り上げるのに容易である。ただし，吊り上げロープが長くなるためバケットの振れに注意する。
④ 土砂の放出は，吊り上げロープが短くなる位置で行うと振れが少なく正確にできる。
⑤ 掘削作業におけるバケットの巻上げは，バケット開閉ロープを緩めないで行う。
⑥ 開閉ロープの本数は，硬い土質では掛け数を増し，軟らかい土質では減らす。

油圧テレスコピック式クラムシェル
① 移動するときは，アームを最短にしてバケットが地上から 50 cm 程度になるようにブームを調整する。 ② 傾斜地では，横断や方向転換，谷側への旋回をしてはならない。傾斜地での旋回は山側のみとし，ブームの動作は低速で慎重に行う。 ③ 作業装置がバックホウより重いため，走行や作業時は特に転倒に注意する。 ④ 掘削はクローラの前後方向を掘削方向に向け，走行モータを後ろにして行う。 ⑤ バケットは決められた大きさのものを使用し，引き上げはアームを垂直にして行う。アームを伸ばした状態で，急激な旋回やアームの押し引きはしてはならない。 ⑥ 走行や掘削作業時にバケットを引き寄せ過ぎると，バケットが前後に揺れてキャブに接触することがあるので注意する。

5. クレーン作業

油圧式ショベル兼用屈曲ジブ式移動式クレーンによる作業上の主な留意事項

油圧式ショベル兼用屈曲ジブ式移動式クレーン
① 車両系建設機械運転技能講習と小型移動式クレーン運転技能講習の両方を修了した者であれば操作できる。 ② 10 分間の平均風速が 10 m/s 以上の強風時には作業を中止する。 ③ クレーン作業で機体の設置地盤が軟弱な場合には，敷鉄板を敷設してすべり止めを行い作業する。 ④ **過負荷警報装置**を備えているが，作業前に吊荷の重量確認を実施する。 ⑤ 離れた位置の荷の吊り上げは，行ってはならない。

⑥　作業範囲内への立ち入り禁止措置を行い，合図者の合図で作業を行う。
⑦　クレーン作業は，バケットシリンダを最伸長にしてクレーン作業モードに確実に切り替えて行う。
⑧　クレーン作業で荷を吊り上げるときは，地上から約 20 cm のところで一旦停止させて，吊荷と機械の安定を確認する。
⑨　作業中に運転席を離れる場合には，バケットを接地させ操作レバーは中立にしエンジンを止める。
⑩　クレーン作業の終了後は，フックの破損防止のためにフックを所定の位置に格納する。

6．ブレーカ作業

油圧ブレーカを装着した油圧ショベルによる作業上の主な留意事項

油圧ブレーカを装着した油圧ショベル
①　チゼルの先端を破砕物に入れた状態でアームを動かさない。
②　チゼルで吊荷作業や破砕物の移動作業を行ってはならない。
③　油温上昇，ボルトの緩み，折損を引き起こす場合があるので，作業前に空打ちを行ってはならない。
④　水平で安定した足場を選び，クローラの前後方向で作業する。また，対象物に対して走行モータを後ろ側にして作業する。
⑤　安定して打撃できる面にチゼルを垂直に押し当て，クローラの前側が少し浮く程度に押しつけて打撃する。
⑥　大きく硬い破砕物は，割れやすい端から順に破砕する。
⑦　油圧ショベルのシリンダは，ストロークエンドで作業しない。
⑧　油圧圧砕機による破砕物の積込み作業は行わない。

試験によく出る問題

ショベル系建設機械の適正に関する次の記述のうち，**適切でないもの**はどれか。

(1)　ドラグラインは，浅く広い範囲の河川浚渫作業に適している。
(2)　フェースショベルは，地表面下の垂直掘削となる立坑掘削に適している。
(3)　オフセットブームを搭載したバックホウは，機体を寄せられない既設構造物等に沿った溝掘削に適している。
(4)　スーパーロングフロントを搭載したバックホウは，河川浚渫作業を陸上部から行う作業に適している。

解説

1．ショベル系建設機械の選定（P233）を参照してください。

(1)　**ドラグライン**は，硬い土の掘削や深い掘削には適しませんが，**浅く広い範囲の河川浚渫作業**に適しています。
(2)　**フェースショベル**は，主として機械の置かれた地面より**高い所を掘削する油圧ショベル**で，地表面下の垂直掘削となる**立坑掘削**には適していません。
(3)　**オフセットブーム**を搭載したバックホウは，**機体の外側まで掘削可能**であり，**壁際ぎりぎりの溝掘り**ができます。
(4)　**スーパーロングフロント**とは，**長大な作業半径と掘削深さ**を必要とするため，特別に長く設計されたブーム及びアームと，軽掘削用小容量バケットから成る作業装置です。河川浚渫作業を陸上部から行う作業に適しています。

解答　(2)

問題23　出る　出る　出る

ショベル系建設機械に関する次の記述のうち，**適切なもの**はどれか。

(1)　フェースショベルは，掘削機が設置されている地盤より下方の掘削に適している。
(2)　ローディングショベルは，ホイールローダと比較して機動性に優れている。
(3)　クラムシェルは，掘削力が弱いため硬くしまった地盤はあらかじめ緩めておく。
(4)　油圧テレスコピック式クラムシェルは，広い範囲を浅く掘削するのに適している。

解 説

1．ショベル系建設機械の選定（P233）を参照してください。

⑴ 問題22 の 解 説 ⑵を参照してください。

⑵ **ローディングショベル**は，**ホイールローダ**に比べて**機動性**に劣っています。

⑶ **クラムシェル**の掘削に適した土質は，**比較的軟らかい中程度のもの**に限られれるため，硬くしまった地盤はあらかじめ緩めておきます。

⑷ **油圧テレスコピック式クラムシェル**は，**バックホウ**では掘削できない**深さ5～20 m の範囲の掘削**に適しています。

解答 ⑶

問題24 

ショベル系建設機械による作業に関する次の記述のうち，**適切でないもの**はどれか。

⑴ 作業場所では，機械をできるだけ水平に据えて，掘削や旋回時の安定を図る。

⑵ 地下水の出やすい場所では，掘削面に排水勾配をつけて作業を行う。

⑶ 単位体積当たりの重量が重い土砂の掘削は，大容量のバケットを用いる。

⑷ 軟らかい土の掘削は，バケットの掘削角度を大きくして深く掘削する。

解 説

2．ショベル系建設機械による作業（P234）を参照してください。

⑴ 機械は水平に据えて，**掘削**，**旋回時の安定**を図ります。

⑵ 地下水の出やすい場所では，掘削面に向かって**3～5%の上り勾配**をつけて作業を行います。

⑶ 単位体積当たりの**重量が重い土砂**の掘削は，**小容量**のバケットを用います。

⑷ 軟らかい土の掘削は，**掘削角を大きくして**深く削ることで，効率的な掘削ができます。

解答 ⑶

ショベル系建設機械による作業に関する次の記述のうち，**適切なもの**はどれか。

⑴　硬い地盤では，バケットをツルハシのように打ちつけて掘削するとよい。

⑵　敷均しは，バケット底面を接地させた状態で左右に旋回させて行う。

⑶　掘削地盤が硬い場合，バケットを地中にいれた状態で機体を後退させるとよい。

⑷　ダンプトラックへの積込みは，荷台の後方から作業装置を旋回して行う。

解　説

2．ショベル系建設機械による作業（P234）を参照してください。

⑴　硬い地盤では，**バケット**をツルハシのように**叩きつけて掘削**してはならないです。

⑵　敷均しのためにバケットを**左右に旋回**させてはならないです。

⑶　掘削地盤が硬い場合に，**バケットを地中にいれた状態**で機体を後退させてはならないです。

⑷　ダンプトラックへの積込みは，**荷台の後方から**作業装置を旋回して行います。運転席の上は，安全を確保するため通過を避けます。

解答　⑷

バックホウによる掘削作業に関する次の記述のうち，**適切でないもの**はどれか。

⑴　強い掘削力が必要な作業では，ブームとアームの交差角を 90 度よりやや大きくするとよい。

⑵　斜面上の作業では，盛土などにより水平に足場を築くとよい。

⑶　軟弱地の作業では，枕木や鉄板をクローラのフロント側に敷くとよい。

⑷　基本的な作業姿勢は，クローラの向きを掘削方向に合わせ，走行モータは車体のフロント側とする。

解 説

３．バックホウによる作業（P235）を参照してください。

⑴　強い掘削力が必要な作業では，ブームとアームの**交差角を 90 度よりやや大きく**します。

⑵　斜面上での作業は，掘削及び旋回の安定性確保のために，**盛土等により**水平に足場を築きます。

⑶　軟弱地では，特にフロント側が沈みやすいので，**枕木や鉄板**をクローラの**フロント側**に敷きます。

⑷　基本的な作業姿勢は，クローラの向きを掘削方向に合わせ，**走行モータは車体の後方側**とします。

解答　⑷

問題27

バックホウによる積込み作業に関する次の記述のうち，**適切でないもの**はどれか。

⑴　ダンプトラックへの積込みの位置は，バケットの旋回角度が小さくなるように配置する。

⑵　バックホウの設置地盤高さは，ダンプトラックの走行地盤高さより低くすると荷台の視認性がよくなる。

⑶　ダンプトラックは，バックホウの左右に両着けにすると，作業時間の短縮に効果がある。

⑷　ダンプトラックへの積込みは，細粒分を先に敷き込み，その上に大塊を積むと荷台への衝撃が緩和される。

解 説

３．バックホウによる作業（P236）を参照してください。

⑴　積込み作業では，**旋回角度を小さく**し**サイクルタイム**を短縮するほど時間当たりの作業量が大きくなり効率的です。

⑵　**バックホウの設置地盤高さ**は，ダンプトラックの走行地盤高さより**高くする**方が，荷台の視認性がよくなります。

(3) バックホウの左右にダンプトラックを**両着けに配置**すると，車両の入換時間が短縮でき作業能率が向上します。

(4) 大塊などの積込みは，**細粒分を先に積込み**，その上に大塊を積み込むと荷台への衝撃が緩和されます。

解答 (2)

問題28

バックホウによる溝掘削に関する次の記述のうち，**適切でないもの**はどれか。

(1) 溝掘削の作業範囲は，垂直にしたアームの前方 45 度～手前 30 度が有効範囲である。

(2) バケット幅での掘削は，溝と機体の中心をそろえ，溝方向にバケットの向きを合せて行う。

(3) 溝掘削の底部整形は，バックホウが次の掘削位置に後退する前に終わらせる。

(4) 溝幅がバケットの 2 倍以上ある場合は，溝の片側からもう一方に向けて少しずつ旋回しながら掘削する。

解説

3．バックホウによる作業（P236）を参照してください。

(1) 溝掘削の作業範囲は，垂直にしたアームの**前方 45 度～手前 30 度**が有効範囲で，最大掘削力はアームが垂直のときに発揮します。

(2) バケット幅の溝掘りをする場合は，溝の中心に**機体の中心**を合せ，溝方向に**バケットの向き**を合せます。

(3) **溝底の整形**は，バックホウが**後退する前に**終わらせます。

(4) 溝幅がバケットの **2 倍以上ある場合**は，車体を左右に移動して**溝の両側を所定の深さ**まで掘削してから**中央部を掘削**する。記述内容は，2 倍未満の場合の記述です。

解答 (4)

3-3 施工方法及び作業能力

問題29

クラムシェルによる作業に関する次の記述のうち，**適切でないもの**はどれか。

(1)　油圧テレスコピック式は，機械式では困難な水中掘削に適している。

(2)　掘削場所が狭く，運転者から掘削面が見えない場合は，合図者をつける。

(3)　機械式は，ブームをできるだけ立てた方がよいが，吊り上げロープが長くなるためバケットの振れに注意する。

(4)　油圧テレスコピック式は，アームシリンダでバケットを押し付けながら掘削してはならない。

解説

４．クラムシェルによる作業（P236）を参照してください。

(1)　**水中掘削**の場合の機種選定は，**機械式クラムシェル**を基本とします。

(2)　掘削場所が狭い場合や掘削が深い場合など運転者から**掘削面が見えない場合**は，合図者をつけます。

(3)　機械式は，ブームをできるだけ**立てた方がよい**ですが，吊り上げロープが長くなるためバケットの振れに注意する必要があります。

(4)　油圧テレスコピック式は，アームシリンダによる**バケットの押付け掘削**を行ってはならないです。

解答　(1)

油圧テレスコピック式クラムシェルによる作業に関する次の記述のうち，**適切でないもの**はどれか。

(1)　クローラの前後方向を掘削方向に向け，走行モータを後ろにして掘削する。

(2)　アームを伸ばした状態で，急激な旋回やアームの押し引きはしてはならない。

(3)　移動時は，バケットを地上１ m 以上に保持して走行する。

(4)　掘削作業は，アームシリンダでバケットを押しつけながら掘削してはならない。

解 説

4．**クラムシェルによる作業**（P236）を参照してください。

(1) **問題26** の 解 説 (4)を参照してください。

(2) **アームを伸ばした状態**で急激な旋回やアームの押し引き操作は行ってはならないです。

(3) 移動時はアームを最短にし，バケットを**地上 50 cm 程度**に保持して走行します。

(4) **問題29** の 解 説 (4)を参照してください。

解答 (3)

問題31 

油圧式ショベル兼用屈曲ジブ式移動式クレーンによるクレーン作業に関する次の記述のうち，**適切でないもの**はどれか。

(1) 過負荷防止装置等の安全装置が作動することを確認してから行う。

(2) 車両系建設機械運転技能講習を修了した者であれば操作できる。

(3) 10 分間の平均風速が 10 m/s 以上の強風時には作業を中止する。

(4) 軟弱地では，敷き鉄板で養生する等，機体を安定させて行う。

解 説

5．**クレーン作業**（P237）を参照してください。

(1) 作業前に，**過負荷防止装置**などの安全装置の**作動を確認**するとともに，吊荷の重量確認を実施します。

(2) 車両系建設機械運転技能講習と**小型移動式クレーン運転技能講習**の**両方を修了**した者であれば操作できます。

(3) **平均風速**が **10 m/s 以上**のときは**作業を中止**し，15 m/s 以上ではジブを倒しておきます。

(4) 地盤が軟弱な場合には機体が傾き，性能が低下するため，**鉄板や敷き鉄板等を用いて地盤を補強**します。

解答 (2)

油圧ブレーカを装着した油圧ショベルによる破砕作業，解体作業に関する次の記述のうち，**適切なもの**はどれか。

⑴　水平で安定した足場を選び，クローラのサイドフレーム方向で作業する。

⑵　安定して打撃できる面にチゼルを垂直に押し当て，クローラの前側が少し浮く程度に押しつけて打撃する。

⑶　油圧ショベルのシリンダは，ストロークエンドで作業する。

⑷　破砕作業は，破砕したガラをチゼルで移動しながら作業足場を確保して行う。

解説

６．ブレーカ作業（P238）を参照してください。

⑴　水平で安定した足場を選び，クローラの**前後方向**で作業します。

⑵　掘削面は安定して打撃できる面を選び，チゼルをその面に垂直に押し当て，クローラの**前側が少し浮く程度**に押しつけて打撃します。

⑶　油圧ショベルのシリンダは，**ストロークエンドで作業**してはならないです。

⑷　破砕したガラを**チゼルで移動**させてはならないです。

解答　⑵

30 ショベル系建設機械の作業能力

要点の整理と理解

1. バックホウによる作業能力の算定

バックホウによる**運転1時間当たりの作業量** Q[m^3/h]の算定式は，次式のとおりです。

$$Q = \frac{3600 \times q \times f \times E}{C_m}$$

q：1サイクル当たりの作業量[m^3]

q ＝ $q_0 \times K$　　q_0：バケット山積み容量[m^3]

　　　　　　　　　K：バケット係数

f：土量換算係数

E：作業効率

C_m：1サイクル当たり所要時間[秒]

試験によく出る問題

バックホウにより地山土量1,080 m^3の掘削を以下の条件で行う場合の必要な作業時間として次のうち，**適切なもの**はどれか。

（条件）	1サイクル当たりの掘削量（地山土量）	：1.5 m^3
	土量換算係数	：1.0
	作業効率	：0.5
	タイムサイクル	：30秒

(1)　2時間
(2)　6時間
(3)　12時間
(4)　18時間

解 説

運転1時間当たりの作業量Q[m^3/h]は，

$Q = \dfrac{3600 \times q \times f \times E}{C_m}$ で求めることができます。

$q = 1.5[m^3]$，$f = 1.0$，$E = 0.5$，$C_m = 30$[秒]より，

$Q = \dfrac{3600 \times 1.5 \times 1.0 \times 0.5}{30} =$ **90[m^3/h]**となります。

したがって，地山土量1,080[m^3]の掘削をするのに**必要な作業時間**は，

1,080[m^3]÷**90[m^3/h]**＝**12時間**となります。

解答　(3)

バックホウにより地山土量360 m^3の掘削を以下の条件で行う場合の必要な作業時間として次のうち，**適切なもの**はどれか。

（条件）1サイクル当たりの掘削量（地山土量）：1.0 m^3
土量換算係数：1.0
作業効率：0.5
タイムサイクル：40秒

(1)　2時間
(2)　4時間
(3)　8時間
(4)　12時間

解 説

問題33 を参照してください。

運転１時間当たりの作業量 Q[m^3/h]は，

$q = 1.0[m^3]$，$f = 1.0$，$E = 0.5$，$C_m = 40$[秒]より，

$$Q = \frac{3600 \times 1.0 \times 1.0 \times 0.5}{40} = 45[m^3/h]$$ となります。

したがって，地山土量 360[m^3]の掘削をするのに**必要な作業時間**は，

360[m^3] ÷ **45[m^3/h]** = **8時間**となります。

解答 (3)

下記の条件で，バックホウにより地山の掘削積込み作業を行う場合の運転１時間当たりの作業量として次のうち，**適切なもの**はどれか。

（条件）バケット山積容量　　：0.5 m^3
　　　　バケット係数　　　　：0.8
　　　　土量換算係数　　　　：1.0
　　　　作業効率　　　　　　：0.5
　　　　１サイクルの所要時間：40 秒

(1)　18 m^3/h
(2)　36 m^3/h
(3)　72 m^3/h
(4)　113 m^3/h

解 説

問題33 を参照してください。

１時間当たりの作業量 Q[m^3/h]は，

$q = 0.5[m^3] \times 0.8 = 0.4[m^3]$，$f = 1.0$，$E = 0.5$，$C_m = 40$[秒]より，

$$Q = \frac{3600 \times 0.4 \times 1.0 \times 0.5}{40} = 18[m^3/h]$$ となります。

解答 (1)

付　録

第二次検定　筆記問題

出題例　解説・解答付

本書を手にする方の中には，第一次検定に合格した翌年以降，所定の実務経験を経て近々に第二次検定に臨まれる予定の方も多いと思いますので，巻末に第二次検定の筆記問題を紹介しておきます。

内容は，第1章　共通問題の　施工管理法　と重なるところも多々あり，施工計画，工程管理，品質管理，安全管理，騒音・振動対策などの知識・応用能力を問うものです。

第一次検定と同様の4肢択一のマークシート方式，すべて必須の10問題です。(合格基準は60%以上：6問以上の正答)。

第一次検定と同日(6月)の第1時限目に実施されています。

よって，第1章 共通問題 の 1－2 施工管理法 の 9，10 の分野も，第二次検定・筆記問題対策用の学習内容として，あらためて参考にしてください。

第二次検定　筆記問題　出題例

※　本試験問題では，すべての漢字にルビが付されています。

問題1

建設工事の施工計画において，工程，原価および品質の一般的な関係に関する次の記述のうち，**適切でないもの**はどれか。

⑴　日当たり施工量を減らして工程を遅くすると，単位施工量当たりの原価は低くなる傾向がある。

⑵　最も経済的な単位施工量当たりの原価は，最適な施工速度による工程で施工したときのものである。

⑶　品質を高めようとすると,単位施工量当たりの原価は高くなる傾向にある。

⑷　施工計画では，決められた品質と工程を守り，できるだけ経済的に工事を施工することが求められる。

問題2

施工計画の日程計画に関する次の①～③の記述において A～D 当てはまる語句の組み合わせとして次のうち，**適切なもの**はどれか。

①　日程計画では，各種工事に要する実稼働日数（所要作業日数）を算出し，この日数が（A）より少ないか等しくなるようにする必要がある。

②　建設機械の作業 1 時間当たりの（B）を施工速度といい，1 時間当たりの標準作業量に（C）を乗じて求めることができる。

③　施工速度には，最大施工速度，正常施工速度，平均施工速度があり，このうち（D）は，施工機械の製造者から示される公称能力である。

	(A)		(B)		(C)		(D)
⑴	作業可能日数	――	運転時間	――	作業効率	――	最大施工速度
⑵	契約工期	――	施工量	――	損失時間	――	正常施工速度
⑶	作業可能日数	――	施工量	――	作業効率	――	最大施工速度
⑷	契約工期	――	運転時間	――	損失時間	――	正常施工速度

問題3

下図のネットワーク式工程表に示(しめ)された工事のクリティカルパスとして次のうち，**適切なもの**はどれか。

ただし，図中のイベント間(かん)のA～Kは作業内容を，日数は作業日数を表(あらわ)す。

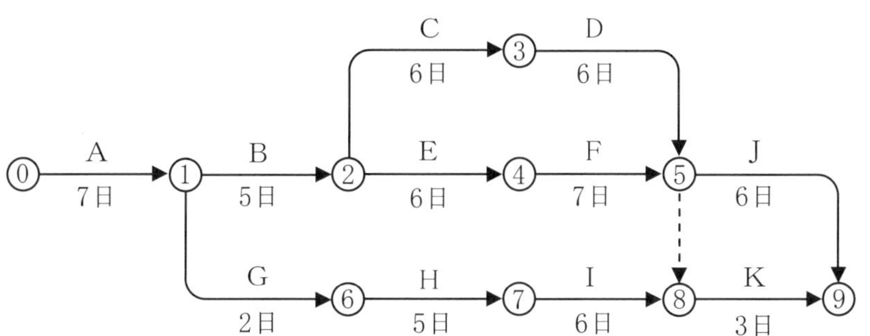

(1) ⓪→①→②→③→⑤→⑨

(2) ⓪→①→②→④→⑤→⑨

(3) ⓪→①→②→④→⑤→⑧→⑨

(4) ⓪→①→⑥→⑦→⑧→⑨

問題4

工程管理に使用する工程表とその特徴をまとめた下表において，A～Dに該当する工程図表名の組合せとして次のうち，**適切なもの**はどれか。

工程図表名	事項			
	作業手順	作業に必要な日数	作業の進行度合い	工期に影響する作業
(A)	不明	不明	明瞭	不明
(B)	曖昧	明瞭	曖昧	不明
(C)	明瞭	明瞭	明瞭	明瞭
(D)	不明	不明	明瞭	不明

	(A)	(B)	(C)	(D)
(1)	工程管理曲線	バーチャート	ネットワーク式	ガントチャート
(2)	ネットワーク式	ガントチャート	バーチャート	工程管理曲線
(3)	バーチャート	工程管理曲線	ガントチャート	ネットワーク式
(4)	ガントチャート	ネットワーク式	工程管理曲線	バーチャート

問題5

建設工事における熱中症予防および熱中症の疑いがある場合の応急措置に関する次の記述のうち，**適切でないもの**はどれか。

(1) 国土交通省では，発注工事の予定価格の積算において，熱中症予防に係る経費を現場環境改善費の中で計上している。

(2) 自分で水分の摂取ができないときは，医療機関へ搬送することを最優先で行う。

(3) 暑さ指数（WBGT値）の計測器を現場職長が携帯するなどして，熱中症の危険度を監視する。

(4) 自覚症状の有無にかかわらず定期的に水分を摂取し，塩分はできるだけ採らないようにする。

問題6

建設工事の現場管理における安全対策に関する次の①～③の記述においてA～Dに当てはまる語句の組合せとして次のうち，**適切なもの**はどれか。

① 工事は安全対策を含む施工計画に基づき進めるとともに，現場の状況および（A）をよく把握することで，安全対策を適切に実施することができる。
② （B），（C）を明確にしたうえで，工事関係者と情報を共有する体制を確立することで，安全対策を適切に実施することができる。
③ 建設機械を用いる作業の（D）には，関係作業員に対して，従事する作業に関する安全衛生について教育・指導を行う。

	(A)	(B)	(C)	(D)
(1)	工程の進捗状況	請負契約内容	指揮命令系統	開始後
(2)	作業内容の状態	施工管理体制	指揮命令系統	開始前
(3)	作業内容の状態	請負契約内容	契約工期	開始後
(4)	工程の進捗状況	施工管理体制	契約工期	開始前

問題7

品質管理に用いられるヒストグラムを示した下図のA～Cに当てはまる用語の組合せとして次のうち，**適切なもの**はどれか。

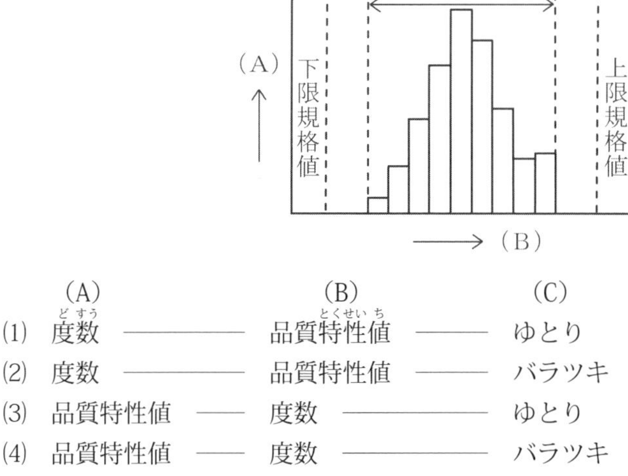

	(A)	(B)	(C)
(1)	度数	品質特性値	ゆとり
(2)	度数	品質特性値	バラツキ
(3)	品質特性値	度数	ゆとり
(4)	品質特性値	度数	バラツキ

問題8

品質管理に関する次の記述のうち，**適切でないもの**はどれか。

(1) ヒストグラムは，品質管理における測定値のバラツキを把握する方法として多く用いられる統計手法である。

(2) 管理値は，所要の品質を確保できる範囲において，目標値を中心に多少のバラツキを考慮した余裕のある上限値と下限値とする。

(3) 品質管理を行う対象項目（品質特性）は，工程に対して処置がとりやすく，完成後に結果が判定できるものを選定する。

(4) ヒストグラクは，品質のデータの分布状態がひと目でわかる利点があるが，時間的変動の情報は把握できない。

問題9

建設工事現場における騒音・振動対策に関する次の記述のうち，**適切なもの**はどれか。

(1) 工事の作業時間は，できるだけ地域住民の生活に影響の少ない時間帯とする。

(2) ブルドーザによる掘削運搬作業における騒音は，速度が遅くなるほど大きくなる。

(3) 電気を動力とする設備は，可能な限り発動発電機の使用を基本とする。

(4) 鋼矢板の打込み，引抜きのバイブロハンマ工法は，騒音・振動低減に有効な工法のひとつである。

問題10

建設工事現場における騒音・振動対策に関する次の記述のうち，**適切でないもの**はどれか。

(1) 建設機械の作業待ちの時には，建設機械のエンジンをできる限り止めるなど騒音，振動を発生させないようにする。

(2) バックホウなどによる掘削は，衝撃力による施工を避け，無理な負荷をかけない。

(3) 騒音・振動対策を講じた定置式の空気圧縮機や発動発電機は，人家等に近接した場所に設置し，夜間は稼働させない。

(4) 振動力，衝撃力によって締め固めるローラを使用する場合は，種類の選定，作業時間帯の設定などについて十分留意する。

第二次検定 筆記問題 解説・解答

問題 1

解 説

次の図は，工程，単位施工当たりの原価，品質についての関係を示したものです。

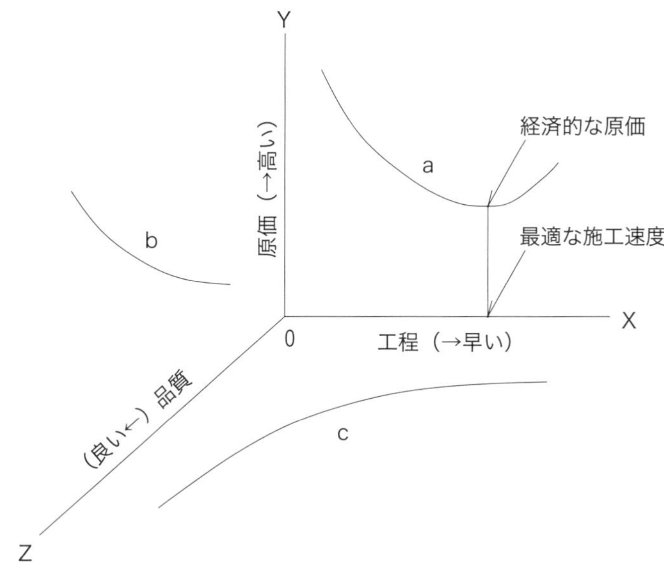

［工程・原価・品質の関連図］

⑴ 工程と原価の関係は，曲線 a から，**工程**を**遅く**すると**原価**は**高く**なります。
⑵ 曲線 a から，最も経済的な原価は，**最適な施工速度**による工程で施工したときのものです。
⑶ 品質と原価の関係は，曲線 b から，**品質**を**高めようとする**と**原価**は**高くなる**傾向にあります。
⑷ **決められた品質**で**工程を確保**し，できるだけ**経済的な**工事を施工することが施工計画で求められています。

解答 ⑴

問題2

解説

① 日程計画は，各種工事に要する実稼働日数（所要作業日数）を算出し，この日数が**作業可能日数**より少ないか，または等しくなるように計画します。

② 建設機械の作業1時間当たりの**施工量**を施工速度といい，1時間当たりの標準作業量に**作業効率**を乗じて求めます。

施工速度＝標準作業量×作業効率

③ 施工計画の基礎となる施工速度には，次のものがあります。

施工計画の基礎となる施工速度

最大施工速度	・通常の条件のもとで，建設機械で施工できる1時間当たりの最大施工量。 ・最大施工速度は，時間測定または計算によって算定することができ，一般に施工機械の製造者から示される公称能力が，これに相当する。
正常施工速度	・最大施工速度を機械の維持管理等に要する正常損失時間によって修正したもの。
平均施工速度	・天候や機械維持管理等に要する損失時間を引いた平均作業時間における施工速度で，工程管理の基礎となる施工速度。

上記の解説から，（A）**作業可能日数**，（B）**施工量**，（C）**作業効率**，（D）**最大施工速度**で，適切なものは(3)です。

解答 (3)

問題3

解 説

P86，問題53の解 説を参照してください。

(1)　日数：7日＋5日＋6日＋6日＋6日＝30日

(2)　日数：7日＋5日＋6日＋7日＋6日＝31日

(3)　日数：7日＋5日＋6日＋7日＋3日＝28日

(4)　日数：7日＋2日＋5日＋6日＋3日＝23日

以上のことから，所要日数の最も大きい(2)**がクリティカルパス**となり，所要日数は31日です。

解答　(2)

問題4

解 説

P81，**4．代表的な工程表**を参照してください。

各種工程表の比較

事項	ガントチャート	バーチャート	曲線式	ネットワーク式
作業の手順	×	△	×	○
作業に必要な日数	×	○	×	○
作業進行の度合い	○	△	○	○
工期に影響する作業	×	×	×	○
図表の作成	○	○	△	△
短期・単純工事	○	○	○	×

×：不明（不向き）　△：曖昧（やや難，複雑）　○：明瞭（判明，容易）

上記の表から，工期に影響する作業が明瞭な工程表はネットワーク式のみで，(C) がネットワーク式に該当します。したがって，適切なものは(1)です。

解答　(1)

問題5

解 説

⑴ 国土交通省では，熱中症予防対策費用として，**現場環境の改善（安全関係）に要する費用**として計上しています。

⑵ **自力で水分の摂取ができない**ときは，点滴で補う必要があるので，緊急で**医療機関に搬送する**ことを最優先します。

⑶ **暑さ指数（WBGT 値）**とは，人間の熱バランスに影響の大きい「気温」「湿度」「輻射熱」の３つを取り入れた温度の指標です。計測器を現場職長が携帯するなどして，熱中症の危険度を監視することは有効です。

⑷ **熱中症**は，高温多湿な環境下において，**体内の水分**やナトリウムなどの**塩分**のバランスが崩れ，体内の調整機能が破綻するなどして発症します。したがって，定期的に**水分を摂取**し，**塩分を補給する**ことが防止対策となります。

解答　⑷

問題6

解 説

① 工事は安全対策を含む施工計画に基づき進めるとともに，**現場の状況**および**作業内容の状態**をよく把握することで，安全対策を適切に実施することができます。

② **施工管理体制**，**指揮命令系統**を明確にしたうえで，工事関係者と情報を共有する体制を確立することで，安全対策を適切に実施することができます。

③ 建設機械を用いる作業の**開始前**には，関係作業員に対して，従事する作業に関する安全衛生について教育・指導を行います。

上記の解説から，（A）**作業内容の状態**，（B）**施工管理体制**，（C）**指揮命令系統**，（D）**開始前**で，適切なものは⑵です。

解答　⑵

問題7

解 説

ヒストグラムは，測定値の**バラツキ**状態を知るために多く用いられる統計的手法です。横軸に**品質特性値**，縦軸に**度数**をとって，ヒストグラムを作成します。

したがって，(A) **度数**，(B) **品質特性値**，(C) **バラツキ**で，適切なものは(2)です。

解答 (2)

問題8

解 説

(1) **問題7** の 解 説 を参照して下さい。
(2) **管理値**は，所要の品質を確保できる範囲において，**目標値を中心**に多少の**バラツキ**を考慮した余裕のある**上限値と下限値**とします。
(3) 品質管理を行う対象項目（品質特性）は，工程に対して処置がとりやすく，**早期に判定できるもの**を選定します。
(4) **ヒストグラム**は，個々の測定値の**時間的変動の情報**を得ることはできないです。品質の時間的変動の情報を得る方法として，**工程能力図**が用いられます。

解答 (3)

問題9

解説

⑴ できるだけ地域住民の**生活に影響の少ない時間帯**に工事することで，騒音・振動対策を図ります。

⑵ ブルドーザによる掘削運搬作業における騒音は，速度が**速くなる**ほど大きくなります。

⑶ 電気を動力とする設備は，可能な限り発動発電機の使用を**避けます**。

⑷ 鋼矢板の打込み，引抜きにおいて，バイブロハンマ工法は騒音・振動の低減に有効な工法ではなく，一般的に**油圧式圧入引抜き工法，アースオーガ用圧入工法**などが採用されます。

解答 ⑴

問題10

解説

⑴ 作業待ち時には，建設機械等の**エンジンをできる限り止める**など騒音，振動を発生させないようにします。

⑵ バックホウなどによる掘削は，できる限り衝撃力による施工を避け，**無理な負荷をかけない**ようにします。

⑶ 騒音・振動対策を講じた定置式の空気圧縮機や発動発電機は，工事現場の周辺の環境を考慮して，**人家等から離れた周辺への影響の少ない箇所**に設置する必要があります。

⑷ 振動力，衝撃力によって締め固めるローラを使用する場合は，建設機械の**機種の選定，作業時間帯の設定**等について十分留意する必要があります。

解答 ⑶

索　引

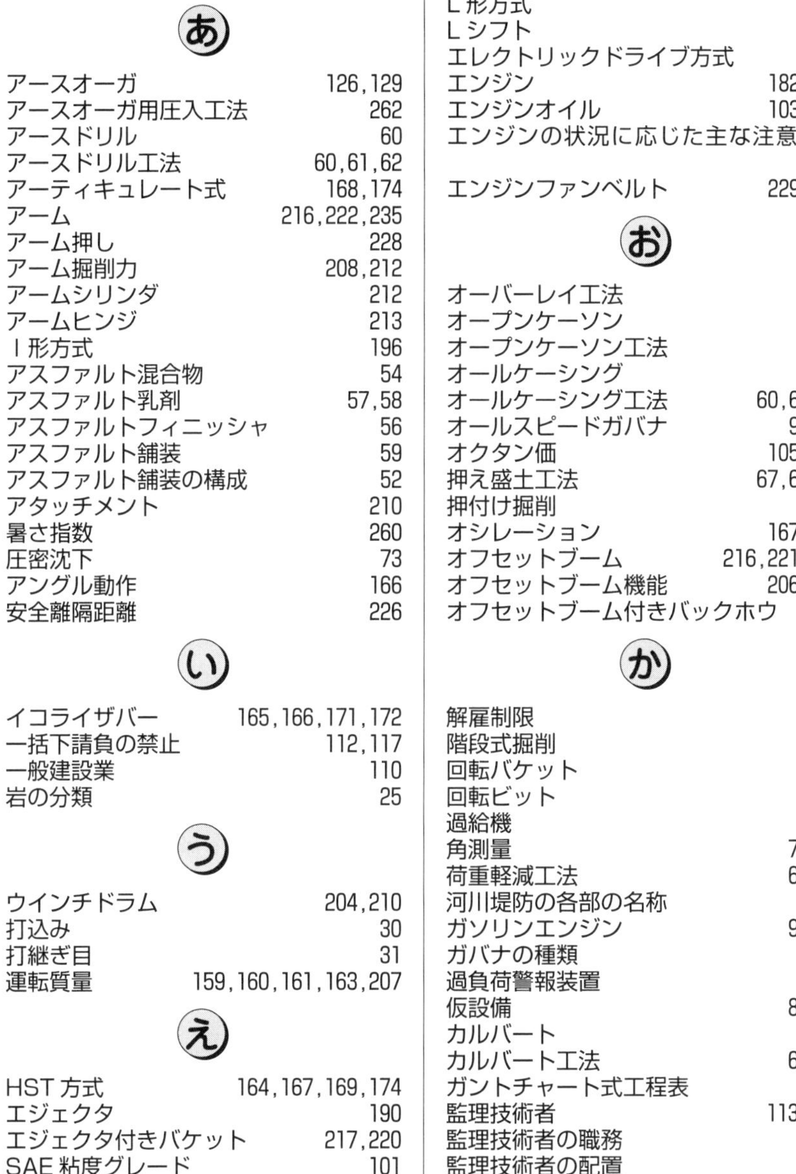

索引

き

し

す

せ

そ

索引

な

に

ね

の

は

ひ

ふ

へ

ほ

ま

み

め

も

や

ゆ

よ

ら

著者のプロフィール

井岡（いおか）　和雄（かずお）

（１級建築士，１級建築施工管理技士，
２級福祉住環境コーディネーター）

1962 年生まれ。
関西大学工学部建築学科卒業。
現在　井岡一級建築士事務所　代表

建設業界に興味があり，大学卒業後は施工の実践を学ぶためゼネコンに勤めます。現場監督を経て設計の仕事に携わり，その後，建築設計事務所を開設します。開設後の設計業務，大学での講師，及び執筆活動といった 25 年余りの経験を通じて，建設系教育への思いがいっそう大きく芽生えました。

現在，設計業務のプロとしてはもちろんのこと，建設系の資格取得のためのプロ講師としても活躍中です。少子・高齢化が急速に進展していく中で，建設業界へ進む若い人たちが少しでも多く活躍することを応援し続けています。

●法改正・正誤などの情報は，当社ウェブサイトで公開しております。
http://www.kobunsha.org/
●本書の内容に関して，万一ご不審な点や誤り，記載漏れなどお気付きの点がありましたら，郵送・FAX・Eメールのいずれかの方法で当社編集部宛に，書籍名・お名前・ご住所・お電話番号を明記し，お問い合わせください。なお，お電話によるお問い合わせはお受けしておりません。
郵送　〒546-0012　大阪府大阪市東住吉区中野 2-1-27
FAX　(06)6702-4732
Eメール　henshu2@kobunsha.org

4週間でマスター
2級建設機械施工管理　第一次検定　第1種・第2種

編　　著　井岡和雄
印刷・製本　亜細亜印刷株式会社

発行所　株式会社　弘文社　〒546-0012 大阪市東住吉区中野2丁目1番27号
☎ (06) 6797－7441
FAX (06) 6702－4732
振替口座 00940－2－43630
東住吉郵便局私書箱1号
代表者　岡﨑　靖

ご注意
（1）本書の内容に関して適用した結果の影響については，上項にかかわらず責任を負いかねる場合がありますので予めご了承ください。
（2）落丁本・乱丁本はお取替えいたします。